Michela Murgia
Ave Mary
E la Chiesa inventò la donna

Einaudi

www.einaudi.it

ISBN 978-88-06-23889-6

Ave Mary

Piú che un'introduzione, un'intromissione

Era l'8 marzo del 2009. Lo ricordo bene perché c'era un freddo di tale intensità che durante la notte abbiamo dovuto sollevare i tappeti di lana dal pavimento per metterli sul letto in aggiunta alle coperte. Il paese di Austis è alle pendici della Barbagia, abbastanza distante dalle spiagge da obbligarti a fare i conti con una faccia dell'isola molto diversa da quella delle cartoline estive; ma io ci stavo andando per affrontare ben altri pregiudizi. La circostanza era tra le piú improbabili: la signora Lucia Chessa, sindaco del paese, mi aveva invitata a intervenire a un convegno provocatoriamente intitolato *Donne e Chiesa: un risarcimento possibile?*, tema sul quale dovevano esprimersi anche Marinella Perroni e Cristina Simonelli, due dottoresse teologhe rispettivamente specializzate in biblistica e patristica. Io, che piú modestamente ho frequentato Scienze religiose, supponevo di essere stata invitata a quel tavolo piú che altro in qualità di gloria locale.

L'umiltà avrebbe pertanto sconsigliato di andarci, ma il tema era cosí accattivante che non avevo saputo resistere, e fu una fortuna perché, nonostante il freddo infame, ci trovammo davanti una sala piena di donne compostamente in attesa, alcune delle quali, avendo forse frainteso la natura dell'incontro, tenevano tra le mani il rosario pronto all'uso. Al tavolo dei relatori c'era anche il parro-

co, un giovane sacerdote che mi sembrava piuttosto al-
larmato dal fatto che con la scusa del convegno teologico
gli si fosse organizzato sotto il naso un incontro dal tema
tanto poco conciliante. Immagino che l'introduzione della signora sindaco – un lungo e puntiglioso elenco delle
mancanze vere o presunte della Chiesa nei confronti delle donne nei secoli – non avesse dissipato il suo timore.
Sia davanti al ricordo delle streghe bruciate sui roghi
dell'Inquisizione che innanzi ai grandi temi dell'uguaglianza degli anni del femminismo, a me parve che le signore
in sala rimanessero impassibili; era difficile capire cosa
pensassero. Tutto si svolse comunque come da copione:
Marinella Perroni e Cristina Simonelli intervennero ciascuna nel proprio ambito con discorsi incisivi che, pur se
ben lontani dai toni bellicosi dell'introduzione della signora sindaco, mettevano a fuoco in maniera molto chiara
la necessità di un ripensamento dei rapporti tra la Chiesa
e le donne, sia in chiave biblica che in chiave patristica.
Il mio intervento fu di carattere piuttosto pratico, e
nell'esporlo feci riferimento tanto alla mia esperienza diretta di donna cristiana che a quella di animatrice parrocchiale di lungo servizio, tutto svolto nelle file dell'Azione cattolica. Raccontai di liturgie, parabole, preghiere e
pregiudizi, ma pur nella sua prosaicità il mio intervento
fece eco in tutto e per tutto a quelli che lo avevano preceduto. Le donne in sala reagirono cortesemente, ma il
composto applauso che mi fecero non consentiva di supporre che cosa veramente passasse loro per la testa. Alla fine il giovane parroco prese la parola per concludere,
e ricordo molto bene che sembrava in imbarazzo e sulla
difensiva.
Affermò di aver apprezzato le nostre riflessioni, ma
non nascose di ritenerle piú adatte a un'altra assemblea,

perché nella sua chiesa – ribadí guardingo piú volte – le parrocchiane erano tenute in grandissimo conto, e certo non avevano motivo di chiedere risarcimenti per aver subito da Santa Madre Chiesa i presunti danni che il titolo del convegno proditoriamente sottintendeva. Terminò l'intervento affermando con orgoglio che la prova di questo felice clima era che lui ad Austis poteva vantare il supporto di molte collaboratrici nell'attività parrocchiale. Fu proprio in quel momento che accadde l'irreparabile. Con perfetto tempismo un'anonima voce femminile si levò dalla platea e scandí seccamente questa memorabile chiosa: – Per pulire, don Marco! – Io, Cristina e Marinella fummo prese in contropiede, ma il nostro stupore non era niente in confronto a quello che si stampò sulla faccia del povero parroco, il quale cercava di identificare di fila in fila quale donna avesse osato gridare il suo dissenso contro il quadro roseo che aveva appena finito di dipingerci.

Forse un'anziana nel tradizionale abito delle vedove, o una delle giovani madri in vestiti casual, magari proprio quella con il bambino addormentato in braccio, oppure qualcuna delle imponenti matrone in prima fila che ci avevano seguito con imperscrutabile attenzione? Non lo abbiamo mai capito, fatto sta che da quel momento cambiò tutto. Quella voce diede la stura a un vivace dibattito, durante il quale molte altre voci di donna si levarono senza timidezze a commentare le nostre rispettive letture.

Alcune di loro riportarono esperienze che rispecchiavano i nostri esempi, altre chiesero spiegazioni su certe interpretazioni per loro nuove e i pochi uomini presenti presero tutti la parola per darci ragione, a volte spingendosi ad approvare anche idee che non ricordavamo di aver mai sostenuto, ma in quel clima andava bene cosí. Erano presenti diversi sindaci del circondario, tutte donne e tutte di un'autorevolezza impressionante, e ciascuna intervenne per rilevare l'importanza dell'incontro, redarguendo le donne presenti a non dimenticarne i contenuti. Rimanemmo in quella sala per due ore e mezzo e nessuna delle signore si alzò dicendo che l'aspettavano a casa, che doveva fare la cena o che il marito si sarebbe preoccupato del ritardo. Fummo noi stesse alla fine a dire basta, e confesso che almeno io lo feci con l'intento di dare qualche sollievo al povero parroco, visibilmente prostrato dalla piega che aveva preso la serata. Per contrappasso finimmo a cenare in un agriturismo affittato a una combriccola venuta lí a celebrare l'8 marzo, con decine di donne in libera uscita dai fidanzati e un karaoke a tutto volume che ci fece rammaricare di avere orecchie per intendere. Non potendo combatterlo finimmo per unirci a loro, e io cantai *Born to be Abramo* di Elio e le Storie Tese. Fu una gran giornata.

Questo libro è nato quella sera. Ogni pagina è stata filtrata immaginando gli occhi curiosi di quelle donne e le loro domande precise, feconde, tanto piú necessarie quanto meno era possibile dare loro risposte nette. Non posso certo dire che è sorto da me; se non avessero insistito Marinella e Cristina, non mi sarebbe mai venuto in mente di scriverlo. Se con un po' di faccia tosta potevo andare a fare un intervento a un convegno in un piccolo paese, questo non implicava che fossi incosciente dei limiti che la mia impreparazione accademica mi imponeva di rispettare.

Ci sono voluti due anni, molti libri e molti uomini e donne intelligenti per farmi capire che forse non era sui deficit della mia istruzione teologica che questo discorso poteva essere costruito. Man mano che procedevano i confronti, mi sono resa conto che era necessario, per parlare alle donne che incontravo nel mio quotidiano, trovare un approccio diverso che mettesse a confronto le evidenze sociali che avevo davanti con elementi che derivavano sí dai miei studi, ma soprattutto dalla mia esperienza ecclesiale.

Da cristiana dentro la Chiesa avevo patito spesso rappresentazioni limitate e fuorvianti di me come donna, il piú delle volte contrabbandate attraverso altrettanto povere interpretazioni della complessa figura di Maria di Nazareth. Ho sofferto quando le ho riconosciute nel magistero dei papi, ma ancora di piú quando le ho viste passare sotto traccia nella pastorale comune, nella preghiera popolare, nell'arte visiva e nella musica religiosa, cioè in tutti quei veicoli ad alto impatto emotivo e bassissimo conflitto critico che fondano le nostre convinzioni molto piú di quanto possiamo arrivare a stimare, specialmente quando le assimiliamo da bambini.

Sono sempre stata convinta che l'educazione cattolica abbia ancora un ruolo fondamentale nel fornire chiavi di lettura al nostro mondo, e anche quando crescendo molti abbandonano le convinzioni di fede o quando non le hanno mai avute, quell'imprinting culturale non viene meno, anzi continua a condizionare il nostro stare insieme da uomini e donne con tanta piú efficacia quanto meno viene compreso e criticato. In Italia le persone che ricevono questo tipo di educazione continuano a essere la schiacciante maggioranza, e quelli che non la ricevono comunque la assorbono. Quindi nessuno può considerarne irrilevanti gli effetti o evitare di fare i conti con le sue conseguenze sulla vita di tutti e di tutte.

È un libro di esperienza, non di sentenza. Per ricordarmelo ho voluto che ciascuna argomentazione cominciasse con il racconto di una delle storie di cui sono figlia. Nello scriverlo ho pensato alle donne, a tutte quelle che conosco e in cui mi riconosco, ma anche agli uomini, sia quelli che ci vorrebbero belle e silenti, sia gli altri, quelli che vorrebbero amarci per come siamo e non per come tutti dicono che dovremmo essere. Questo libro è stato scritto anche per loro, con la consapevolezza che da questa storia falsa non esce nessuno se non ci decidiamo a uscirne insieme.

1.
Le voci sulla mia morte sono state oltremodo minimizzate

> Camminavi al mio fianco e ad un tratto dicesti «tu muori
> se mi aiuti son certa che io ne verrò fuori»
> ma non una parola chiarí i miei pensieri
> continuai a camminare lasciandoti attrice di ieri.
>
> *I giardini di marzo*, Mogol.

Memorie cattoliche.

Quando avevo sedici anni recitai in un musical sulla vita di san Francesco che si chiamava *Forza venite gente,* dove interpretavo la serva del ricco mercante che il santo di Assisi aveva per padre. Eravamo una trentina di ragazzi e ragazze, stavamo vivendo una delle esperienze piú esaltanti della nostra vita e – contraddicendo la pretesa incoscienza giovanile – ce ne rendevamo perfettamente conto. Uno dei quadri musicali dello spettacolo prevedeva la salita al patibolo di un giovane cavaliere colpevole di aver ucciso un uomo in un duello tra figli di famiglie rivali.

Quella scena ci piaceva molto perché al condannato tagliavano la testa con un'ascia, e l'esito scenico era cosí realistico che il pubblico in sala regolarmente sussultava sulle sedie. La canzone che accompagnava la scena si intitolava *Morire sí, ma non cosí* e la intonava il colpevole andando verso il boia. Durante le prove il giovane sacerdote che faceva la regia aveva spiegato al ragazzo come doveva interpretarla, cioè riottoso e pieno di rabbia, ma non impaurito. L'attore improvvisato non capiva.

– Ma perché dice: «Morire sí, ma non cosí»? Morire in un modo o morire in un altro che differenza fa, sempre morto sei!

Il sacerdote, lo stesso che vent'anni dopo avrebbe celebrato le mie nozze, rispose lapidario:

– E no! Un conto è morire da protagonisti assumendosene il rischio. Un altro è essere incaprettati e portati al patibolo come un vitello allo scanno. Quello che interpreti tu è un uomo che preferirebbe morire carnefice piuttosto che vittima. Hai capito?

Al mio compagno di scena non so, ma a me la differenza era chiarissima.

La zona morta.

Una parte rilevante del nostro immaginario si gioca sulla rappresentazione della morte, e anche sulla sua mancata rappresentazione. L'assunto che la cultura occidentale moderna neghi l'idea della morte è talmente condiviso che se entrasse in un articolo della Costituzione ben pochi se ne lagnerebbero. Già me lo vedo: «L'Italia è una repubblica fondata sulla negazione della morte». È normale pensare che nella patria di ogni scongiuro, tra corna, palpate apotropaiche e toccate di ferro, la rimozione della morte – e persino del pensiero della morte – sia uno degli sport sociali piú trasversalmente praticati da nord a sud.

Programmi televisivi, spot, film, discorsi comuni tra le persone: ovunque l'evidenza del tabú è tale che farlo notare rasenta l'ovvio. Invece di ovvio non c'è proprio niente. Il dogma della morte rimossa non è infatti cosí scontato, o almeno non lo è nel modo in cui ci viene dato a intendere. A stare attenti ci si rende conto che in realtà la morte è continuamente presente nelle rappresentazioni che fondano l'immaginario pubblico. Ma questa messa in scena riguarda solo un determinato tipo di morte,

ed esclude invece tutte le altre. L'unico discorso socialmente consentito intorno alla morte è quello che racconta
pubblicamente la fine maschile, che non è affatto negata,
anzi: gli uomini intorno a noi muoiono continuamente e i
nostri schermi televisivi, insieme alle pagine dei giornali,
sono occupati ogni giorno dalle loro salme.

Muoiono in guerra e li riportano in patria in bare avvolte
da bandiere e circondati da telecamere piangenti. Muoiono
facendo sport estremi, vittime della loro mancanza di senso
del limite, e diventano icone di vite al massimo. Muoiono
anche semplicemente facendo il loro mestiere, con o senza regole di sicurezza. Muoiono per colpa della criminalità, generandola o cercando di combatterla, e la loro morte
diventa subito cronaca di primo piano e poi fiction televisiva. Muoiono da terroristi kamikaze, stabilendo da sé
la propria ora spettacolare. Muoiono suicidi, oppure lot-
tando per ottenere il diritto a dire basta alle proprie cure.
Ma muoiono anche solo di morte naturale, perché erano
vecchi e i vecchi prima o poi muoiono. Se erano persone
famose la celebrazione della loro morte diventa un fatto
pubblico, con cortei monumentali, camere ardenti con la
fila all'ingresso e dirette televisive sui canali nazionali.

La morte maschile non è rimossa, anzi ha seri problemi di sovraesposizione: la vediamo continuamente rappresentata nei tg, nei videogame, nei telefilm, sui giornali, nelle strade e nei discorsi delle persone comuni che
assistono tutti i giorni a questa messa in vista. «Venire
a mancare» è un eufemismo che non ha senso per raccontare la morte dell'uomo, perché non viene a mancare proprio niente; anzi può realizzarsi il paradosso che
nella morte qualche figura dall'esistenza labile e dimes-
sa diventi poi un eterno presente, occupando l'immaginario pubblico in modo definitivo. L'uomo muore, ed è

un fatto talmente normale e normalizzato che dobbiamo chiederci se abbia ancora senso definirlo un tabú.

Stroncate dal dolore.

Se è vero che la morte è oggetto continuo di racconto pubblico, a che cosa ci si riferisce quando si dà per scontata la sua rimozione sociale? Di che morte parliamo quando parliamo di tabú della morte? Una risposta può venire dall'osservazione del modo in cui viene raccontata pubblicamente l'*altra* morte, quella delle donne, la cui frequenza e modalità di rappresentazione sembra avere caratteristiche ben diverse da quella maschile. Non mi soffermerò sulla parte lasciata alle donne nei racconti epici, dove esigenze di copione le vogliono delegate a immolarsi sulla pira ardente dei loro sposi caduti con gloria, andar monache per inconsolabile dolore o suicidarsi per il peso intollerabile di essere sopravvissute all'eroe amato. Mi interessa molto di piú la versione moderna di queste vestali, la favola funebre delle donne dei giorni nostri, che forse è molto meno distante da quegli archetipi di quanto non si pensi.

Affermare che la morte femminile sia negata non è corretto. Siamo pieni di cronache su cadaveri di donna, ma l'ostensione della morte femminile sui media passa soprattutto per l'immagine della donna ammazzata, spesso in circostanze riconducibili all'ambiente affettivo familiare. In questa rappresentazione le cause del decesso sono di solito i fidanzati gelosi, i padri possessivi, i mariti violenti o gli ex mariti che non si rassegnano a essere stati lasciati. Piú raramente gli assassini sono estranei, ma la raffigurazione della morte femminile per mano d'uomo in contesti extrafamiliari è minima o del tutto assente, a meno che non coinvolga assassini seriali o uomini di altre nazionalità, che però a quel punto diventano essi stessi il soggetto principale della narrazione. Al di fuori di questa dinamica la donna non muore, ovvero la sua morte rimane invisibile, non fa parte di nessun racconto pubblico. Inutilmente vi sforzerete di ricordare il nome di una donna deceduta sul lavoro, né vi sembrerà che qualche donna soldato sia morta in guerra nelle cosiddette missioni di pace. Nessuna nella nostra percezione resta mai vittima del suo sprezzo del pericolo in qualche sport estremo, e nessuna chiede di morire per smettere di soffrire. Terry Schiavo ed Eluana Englaro, icone mediatiche del feroce dibattito sul fine vita, sono figure passive nel processo che ha condotto alla loro morte fisica, sulla quale non hanno avuto direttamente alcuna voce in capitolo, a differenza di quanto ha potuto fare Piergiorgio Welby durante il suo volitivo calvario.

Della donna kamikaze che ha fatto saltare un autobus non sapremo mai il nome, mentre abbiamo memorizzato perfettamente quello dell'adultera Sakineh minacciata di lapidazione, o quello di Neda, la ragazza iraniana uccisa tra la folla mentre protestava contro la dittatura teocratica nel suo paese. Qualunque sia la variante, la trama del racconto della morte femminile non cambia: con la morte la donna non è mai in un rapporto di protagonismo, ma sempre in quello di passiva conseguenza.

Mi colpí molto il modo in cui venne raccontata sui media popolari la doppia morte a breve distanza di due figure molto note del piccolo schermo italiano: Raimondo Vianello e Sandra Mondaini. È noto che il popolare presentatore e attore sia morto per un blocco renale; ma quando cinque mesi dopo è morta anche la sua altrettanto nota vedova, i media hanno raccontato il suo decesso come se fosse una conseguenza diretta di quel lutto. «È morta di dolore», hanno scritto le riviste ad alta tiratura. «Senza Raimondo, stroncata dal dolore», titolò ancora piú esplicitamente un quotidiano, fornendo una interpretazione da romanzo d'appendice di una morte da crisi respiratoria. Lo stesso meccanismo mediatico aveva investito qualche anno prima un'altra doppia morte del mondo dello spettacolo, quella del regista Federico Fellini e dell'attrice Giulietta Masina: il primo è morto di ictus e cosí è stata data la notizia; invece la morte della consorte è stata annunciata dai quotidiani con lo stesso sobrio titolo che sarebbe toccato poi alla Mondaini: «È morta la Masina, stroncata dal dolore». Il fatto che l'attrice fosse da tempo in cura per un tumore non era evidentemente funzionale al quadro tragiromantico di una vita spezzata dalla scomparsa dell'amato.

Questi due esempi non fanno statistica, ma bastano a mettere a fuoco la tendenza mediatica a rappresentare l'uomo che muore come un dignitoso protagonista attivo del suo ultimo istante, lasciando alla donna il compito di morire passivamente (e spesso in modo scomposto, «distrutta, stroncata, annientata, devastata, uccisa» dal dolore), nel ruolo di vittima o al massimo di macabra comprimaria.

In questo orizzonte solo l'uomo può «morire», la donna invece «viene uccisa». Perché questo squilibrio costante tra soggetto attivo e soggetto passivo sia possibile, spesso occorre che la narrazione neghi le evidenze contrarie, per giungere fino a mistificare la realtà, secondo un meccanismo che non è certo un brevetto dei media italiani.

Morire da comparse.

Il premio Pulitzer Susan Faludi nel suo saggio *Il sesso del terrore* ha evidenziato molto chiaramente la presenza di questa tendenza nella rappresentazione della morte femminile, analizzando cosa avvenne sui media statunitensi a partire dal giorno dopo l'11 settembre. Il romanzo mediatico della tragedia si svolse secondo due linee narrative parallele e alla fine contraddittorie: una rispondeva all'esigenza di rappresentare il dolore, l'altra a quella di esaltare il coraggio. Nel primo caso, per rendere piú efficace la raffigurazione su scala mondiale dell'America ferita a morte si scelse di enfatizzare uno stereotipo del dolore che commovesse fortemente la gente. Questa figura non poteva essere che femminile o infantile, ma perché cosí fosse, davanti alle telecamere dovettero rimanere solo vedove e orfani, mentre gli uomini che avevano perso qualcuno nel crollo furono fatti sparire mediaticamente. Benché nel disastro delle Twin Towers fossero morti sia uomini che donne, a giudicare dal numero di vedove affrante con infanti a carico mostrate dai media, sotto le macerie sembravano essere rimasti soltanto i primi.

Il rapporto si invertí quando si trattò di costruire la linea narrativa che doveva mettere in scena il coraggio del popolo di Ground Zero. Anche se nel crollo morirono in realtà piú uomini che donne, l'icona del pompiere coraggioso costruita dai media estraeva dalle macerie solo corpi femminili, imponendo all'immaginario la donna come unica vittima rappresentabile dell'attentato. Secondo la scrittrice, il rapporto passivo con la morte poteva essere sublimato esclusivamente da una figura femminile, persino davanti all'evidenza statistica del contrario.

Il rapporto simbolico tra donne, morte e sofferenza trova riscontro in Italia negli altissimi livelli di violenza domestica sulle donne.

Nel settembre del 2009 il ministero italiano per le Pari opportunità ha lanciato una interessante campagna di spot contro la violenza sulle donne. Le immagini erano sem-

plici: una rosa bianca dentro un bicchiere di vetro traspa-
rente raffigurava la femminilità, gocce di inchiostro nero
nell'acqua simbolizzavano la violenza maschile. La rosa
assorbiva il nero e diventava nera a sua volta, prima che
una mano pietosa la sottraesse al bicchiere inquinato e la
mettesse in un altro con l'acqua pura, riportando il fiore
al suo aspetto iniziale. Una voce maschile calda e rassicu-
rante affermava: «La violenza sulle donne è ignoranza e
follia. Rispetta le donne, rispetta il mondo».

Il meccanismo di vittimizzazione in questo spot è grosso-
lanamente riconoscibile sin dall'equivalenza tra donna e rosa,
fiore del romanticismo, quello che gli spasimanti regalano
alle loro amate. *Rosa Mystica* è uno dei titoli della Madonna
nelle litanie lauretane, e per questo motivo la rosa bianca è
considerata il fiore mariano per eccellenza, con particolare
riferimento all'Immacolata Concezione. Anche la rosa dello
spot è bianca, colore simbolo di candore e innocenza, ma pure di debolezza e di fragilità, perché facilmente imbrattabile.

Il fatto che il fiore sia reciso e dentro un bicchiere è molto
importante sul piano simbolico, perché quella non è la sua
condizione naturale. La donna-fiore è in un mondo artificiale che non le è proprio, «recisa» dalla sua natura per essere
usata come decorazione d'ambiente. Il bicchiere in questo
senso è un contenitore ostensivo, una gabbia rivelante, ma
anche simbolicamente una nicchia, una cappella dedicata, un
altarino per la rosa mistica, creatura pura avulsa dal contesto.

Il dinamismo nello spot è tutto affidato all'inchiostro,
cioè al carnefice violento, che prima sporca l'acqua con vo-
lute serpentine, poi procede lungo il ramo e infine arriva
fino ai petali, mentre il fiore resta in uno stato di completa
passività confermata dal fatto che solo una mano esterna
può «salvarlo», cioè estrarlo dal bicchiere per metterlo in
un altro. Il messaggio è evidente: tu donna sei pura, de-

bole e bisognosa di protezione. Sei minacciata e non puoi opporti. Ma in quanto vittima sarai salvata, nello specifico grazie alle politiche tutelanti del ministero.

Essere identificati come vittime è una condizione che dovrebbe essere transitoria per chiunque, legata a precise circostanze. Non si è vittime per il solo fatto di esistere come femmine invece che come maschi, ma lo si è sempre di qualcosa o di qualcuno. Il tentativo di trasformare le persone in vittime permanenti a prescindere dalle circostanze costringe la vittima al ruolo di vittimizzata, che è un'altra forma di violenza, piú sottile e pervasiva, perché impone una condizione di passività che preclude la facoltà di riscattarsi. Il soggetto vittimizzato non può tentare di uscire dalla condizione di vittima, perché intorno ha un intero sistema che gli impedisce di essere qualcosa di diverso.

La parte piú interessante è però nella frase finale – «la violenza sulle donne è ignoranza e *follia*» – che definisce chi fa del male a una donna un ignorante e un pazzo, non un uomo normale. Non suo marito, non suo padre, non il suo fidanzato, né suo fratello o il suo ex. Il carnefice è un folle, un mostro, un soggetto estraneo alla comunità civile, oppure una persona priva di titoli di studio e di consapevolezza del mondo. Il ministero era certo a conoscenza dei dati, i quali dimostrano che chi picchia le donne è un uomo piú che comune, con lavori normali e normalissime abitudini, e che i laureati picchiano tanto quanto i non scolarizzati. Perché dunque affermare il contrario? Dire che chi picchia le donne è ignorante e folle significa in definitiva riconoscergli le attenuanti, le stesse che sui titoli dei giornali giustificano l'omicidio di una donna come «dramma della gelosia».

L'affermazione finale – quel «Rispetta le donne. Rispetta il mondo» – contiene un messaggio piú sottile. Perché mai non rispettare l'archetipo-donna dovrebbe equivalere addi-

rittura a non rispettare il mondo? Il facile sottinteso è che la
donna – che come madre dà la vita – sia l'origine del mondo
e che occorra portarle rispetto per questo motivo, sancendo
il ragionamento secondo cui la donna, sebbene vittima per
costituzione, resta comunque rispettabile per la sua funzione. Realizzare che sia questo il livello della comunicazione
istituzionale sulle donne in Italia è sconfortante, ma illumina.

Perché sembra cosí importante omettere le donne dallo spazio pubblico di rappresentazione della morte e della
sofferenza, se non in qualità di vittime? Da quale seme
culturale nasce l'idea che l'estremo istante e i suoi din-
torni debbano essere un luogo di soggettività soprattutto maschile, mentre alle donne spetti il ruolo passivo? È
possibile che su questa idea «sessuata» della morte e della
sofferenza attive possa aver influito anche la rappresentazione che per secoli ne ha dato la fede cristiana?

In principio eravamo tutti vivi.

> Who wants to live forever?
> There's no chance for us
> It's all decided for us
> This world has only one sweet moment set aside for us.
>
> *Who Wants To Live Forever*, The Queen.

A dispetto della definizione di «evento naturale», il
trauma della morte che si rinnova a ogni generazione ci
interroga ancora tutti. Nessuno vuole credere al fatto che
ci sia davvero qualcosa di naturale nel finire un'esistenza
ricca e intensa, perdere i figli, i compagni e gli amici, sep-
pellire i genitori o immaginare un mondo che vada comunque avanti anche in nostra assenza. Ci sentiamo chiamati
a durare, magari non tutti per sempre, ma almeno abba-

stanza da essere stanchi di esserci, laddove la morte nella maggioranza dei casi ci raggiunge prima. Le domande sul mistero della morte e su quello del dolore ci inseguono da sempre. La ricerca della risposta sta al centro di tutte le esperienze religiose di ogni tempo e in ogni parte del mondo, e il cristianesimo non fa eccezione.

All'interno della riflessione cristiana la morte ha due facce, contrapposte e molto ben definite, la cui linea di confine passa esattamente nel punto in cui è piantata la croce di Gesú Cristo. Prima di lui infatti la morte umana non era che una misteriosa maledizione, spiegabile soltanto come conseguenza della disobbedienza di Adamo ed Eva nel giardino dell'Eden. Se ha ragione Umberto Eco nel *Nome della rosa* quando dice che tutto quello che non si può teorizzare bisogna narrarlo, l'autore biblico lo aveva capito migliaia di anni fa: niente piú del racconto del principio delle cose può illuminare il mistero della loro fine, e infatti il racconto della Genesi resta ancora oggi uno dei modi piú poetici, ma anche dei piú culturalmente incisivi, con cui si è cercato di spiegare l'enigma della morte. Eppure non risulta che nel racconto della Genesi la morte fosse un evento previsto nel progetto originario del Creatore.

La fine della vita fa capolino solo dopo la cosiddetta caduta, quando i due progenitori, ormai destituiti dallo stato di perfezione originario, si ritrovano a fare i conti con la prospettiva delle varie fatiche del vivere. A quel punto del racconto biblico lo spettro della morte è Dio stesso a evocarlo rivolgendosi all'uomo con una frase divenuta poi proverbiale:

> Con il sudore del tuo volto mangerai il pane; finché tornerai alla terra, perché da essa sei stato tratto. Polvere tu sei e in polvere tornerai!
>
> *Gn* 3,19

Morirai, sembra dunque dire qui Dio ad Adamo, ma piú che una minaccia di morte, quelle parole appaiono come la posa di un limite che prima non c'era; non è tanto la morte che Dio sembra annunciare, quanto la consapevolezza della mortalità, la certezza che da quel momento comincia per l'umanità la possibilità di sperimentare il confine definitivo della propria natura.

Il racconto è costruito con estrema intelligenza simbolica: dal punto di vista narrativo appare astuto che il personaggio «morte» non compaia per azione di Dio, ma perché lo genera l'uomo stesso con il suo comportamento assassino. Il primo cadavere della Bibbia è infatti quello di Abele, morto ammazzato per mano di suo fratello Caino; prima di quel momento, e nonostante le condizioni penalizzanti dell'esilio dal giardino (lavoro duro, doglie di parto, terreno sterile), la possibilità di sperimentare la morte era rimasta virtuale. Tutto cambia nell'istante in cui il sangue innocente di Abele il pastore intride il suolo, rendendo la morte ineluttabile per tutti quelli che verranno dopo. Il disastro è compiuto, e non c'è dubbio che lo abbia compiuto la mano dell'uomo dal principio alla fine.

L'assassino non è il maggiordomo.

Di chi è la colpa dunque se tutti dobbiamo morire? Se la Genesi fosse un giallo e dovessimo procedere per esclusione cercando l'assassino, terremmo subito fuori il Dio Creatore, colui che in origine non ha fatto l'uomo perché morisse, ma perché vivesse per sempre in armonia con il cosmo. Sarebbe difficile anche scaricare la colpa su Caino, perché sia lui che Abele sono nati già in disgrazia, all'ombra della colpa di Adamo e di Eva, con addosso quello che sarà chiamato peccato originale. Dato che i due fratelli sono modelli sfregiati sin dalla culla, essi possono essere al massimo una conseguenza, non l'origine della morte. Resta il serpente, che però non è mai stato un colpevole credibile, perché ai progenitori sarebbe bastato rifiutare l'offerta del frutto dell'albero.

Dalla prospettiva di un racconto noir a questo punto l'unico atto sensato sarebbe riconoscere la colpa congiunta della coppia originaria, conclusione corretta anche teologicamente, se non altro perché permette di conservare integra la capacità di scelta di entrambi i progenitori davanti all'alternativa suprema tra il bene e il male. Caso risolto, quindi? Neanche un po'. Non è infatti necessario aver fatto un solo giorno di catechismo per essere piú o meno confusamente persuasi che la responsabilità della caduta sia soprattutto di Eva.

Il buon senso popolare è convinto nel profondo del fatto che sí, Adamo sarà stato anche ingenuo e sciocco a cascarci, ma alla fine dei conti il tutto è partito dalla donna. La colpa della morte, e insieme di tutta la condizione di fatica e limite propria dell'esperienza umana, è quindi di Eva, archetipo primo del genere femminile. Il suo nome significa «madre dei viventi» in virtú dell'essere la prima genitrice, ma nella pratica si è tradotto soprattutto in «madre dei morenti», perché con il suo errore ha messo letteralmente al mondo anche le condizioni della mortalità umana. Per questo motivo Eva è ancora l'unico nome biblico – insieme a quello del traditore Giuda – che bestemmiare è considerato veniale. Se nessuno ha mai pensato di imprecare con il nome di Adamo, qualcosa vorrà pur dire.

Il corpo del reato.

Che la colpa originale fosse da dare alla donna è una convinzione che i semplici fedeli non hanno certo tratto spontaneamente da sé, né del resto avrebbero potuto farlo, considerato che le Sacre Scritture per secoli non sono state accessibili a chi non sapeva leggere, ovvero alla maggior parte delle persone credenti.

Da dove viene dunque l'idea di Eva come unica colpevole della mortalità umana? Questa interpretazione del racconto della creazione è stata data dai primi predicatori che hanno attinto ai padri della Chiesa – culturalmente figli di una tradizione patriarcale che precedeva di gran lunga il cristianesimo – i quali, pur di non modificare la lettura punitiva, si sono serviti delle complesse lettere di san Paolo con spirito partigianamente selettivo. Sono infatti molti i passaggi dell'apostolo Paolo (o attribuiti alla sua scuola di pensiero) che possono indurre a pensare che il primo ad aver teorizzato una maggiore responsabilità della donna nel peccato originale sia stato lui. È una teoria che per secoli ha diviso gli esegeti cristiani, indebolita anche dal fatto che non tutti i passi dell'apostolo sono univoci nell'attribuire la colpa di ogni male a Eva. Per capirlo si possono confrontare due brevissimi brani delle lettere paoline.

Quella a Timoteo, che gli esegeti sono concordi nell'assegnare alla mano di un discepolo di Paolo, sembra confermare una posizione colpevolista:

> Prima è stato formato Adamo e poi Eva; e non fu Adamo a essere ingannato, ma fu la donna che, ingannata, si rese colpevole di trasgressione.

Ma nella lettera ai Romani, parlando di Adamo, Paolo scrive invece esattamente il contrario:

> Quindi, come a causa di un solo uomo il peccato è entrato nel mondo e con il peccato la morte, cosí anche la morte ha raggiunto tutti gli uomini, perché tutti hanno peccato.

Che fare? Scartando l'ipotesi di un improbabile momento di confusione in quella prodigiosa mente logica che fu Paolo di Tarso, non restano che due opzioni: o si rileva una comprensibile involuzione di pensiero in chi aveva raccolto la monumentale eredità teologica di Paolo, oppure si tiene conto del fatto che quelle lettere erano scritte per destinatari diversi, e dunque i loro contenuti erano pensati per armonizzarsi con le diverse sensibilità pastorali richieste. A questo elementare percorso esegetico la maggior parte dei predicatori preferí un'altra modalità di interpretazione: quella del pregiudizio sessista.

In base a questo spietato registro, tutto ciò che nelle lettere di Paolo (e nella Scrittura in genere) afferma la colpa eterna di Eva e delle sue figlie è stato accolto come letterale e cosí predicato, mentre tutti i passi in cui Adamo viene suggerito come responsabile alla pari della sua compagna vengono letti in chiave allegorica, cioè servono a provare che se tutti si può morire per la colpa di uno solo (Adamo), allora uno solo può certo bastare a salvare tutti (Cristo). La suggestiva sinossi tra Adamo, l'uomo vecchio, e Cristo, l'uomo nuovo, nel caso di Eva resta una condanna assoluta per la condizione femminile di ogni luogo e di ogni tempo.

Per capire il clima di colpevolizzazione che pesava sulla donna nei secoli iniziali della fede cristiana, basta leggere gran parte della produzione dei primi pensatori della Chiesa.

Famoso un passo di Tertulliano, apologeta vissuto a cavallo
tra il II e il III secolo, che per il suo rigorismo morí eretico,
ma i cui testi dal punto di vista storico sono ancora oggetto
di studio nelle facoltà teologiche:

> Ogni donna dovrebbe camminare come Eva nel lutto e nella pe-
> nitenza, di modo che con la veste della penitenza essa possa espia-
> re pienamente ciò che le deriva da Eva, l'ignominia, io dico, del
> primo peccato, e l'odio insito in lei, causa dell'umana perdizione.
> Non sai che anche tu sei Eva? La condanna di Dio verso il tuo
> sesso permane ancora oggi; la tua colpa rimane ancora.
> Tu sei la porta del Demonio!
> Tu hai mangiato dell'albero proibito!
> Tu per prima hai disobbedito alla legge divina!
> Tu hai convinto Adamo, perché il Demonio non era coraggioso
> abbastanza per attaccarlo!
> Tu hai distrutto l'immagine di Dio, l'uomo!
> A causa di ciò che hai fatto, il Figlio di Dio è dovuto morire!
>
> *De cultu feminarum*

Per Tertulliano dunque l'avventatezza di Eva non solo
è causa della mortalità di tutta l'umanità, ma è nientemeno che la ragione stessa della morte di Cristo.

Non è l'unica voce utile a definire il rapporto tra donne e morte nella dottrina cristiana. Leggere i testi di alcuni
tra i padri della Chiesa piú inattaccabili mostra come la sua
posizione fosse sí estrema, ma non certo solitaria: il clima
culturale era quello per tutti. Intorno alla fine del II secolo,
san Giustino, pur se con maggiore finezza, si infila nel ragionamento allegorico di san Paolo (quello di Cristo nuovo
Adamo) per accostarvi il parallelismo tra la vecchia Eva e
la nuova, cioè Maria.

> Come infatti Eva, che era vergine e incorrotta, dopo aver accol-
> to la parola del serpente, partorí disobbedienza e morte, allo stes-
> so modo Maria, la Vergine, avendo ricevuto dall'angelo Gabriele
> il buon annuncio che lo Spirito Santo sarebbe disceso su di lei e

che la potenza dell'Altissimo l'avrebbe adombrata, concepí fede e
gioia, per cui il nato da lei sarebbe stato il Figlio di Dio.

Dialogo con Trifone

Bisogna ammettere che la soluzione teorica del patriarca, per quanto avvilisca la nostra sensibilità moderna, è
retoricamente geniale: Maria donna fedele pone rimedio
ai danni di Eva donna sleale, pareggiando i conti con l'Altissimo. Piace cosí tanto questa costruzione che pochi anni dopo anche sant'Ireneo la riprenderà, arricchendola di
ulteriori specificazioni:

> Era conveniente e giusto che Adamo fosse ricapitolato in Cri-
> sto, affinché la morte fosse assorbita nell'immortalità e che Eva
> fosse ricapitolata in Maria, affinché la Vergine, divenuta avvoca-
> ta di un'altra vergine, potesse annullare e distruggere, con la sua
> verginale obbedienza, la disobbedienza verginale.

Contro le eresie

Secondo questo impianto logico, che diverrà nei secoli il filone narrativo dominante nelle prediche al popolo,
con Maria e Gesú si chiude il cerchio aperto dalla disobbedienza di Eva e Adamo nel paradiso terrestre, e si apre
un'era nuova. Il peccato originale – cosí verrà chiamata
la responsabilità della caduta – viene suddiviso tra i due
generi in parti diseguali e per uscirne viene offerta una
sola soluzione: scambiare il modello difettoso rappresentato dal binomio Adamo-Eva con il modello perfetto e
redentivo del duo Gesú-Maria. Il fatto che i progenitori fossero una coppia mentre Gesú e Maria siano madre
e figlio non ha nessuna importanza sul piano logico: il
ragionamento sta in piedi perché pone a confronto due
coppie di archetipi di genere: Cristo e Adamo sono patrimonio simbolico solo per l'uomo, Maria ed Eva sono
cose da donne. Che cosa ha significato questa divisione

nella percezione della morte maschile e femminile dell'immaginario popolare?

Attrazione mortale.

Il sedicente tabú della morte è tale solamente per l'epoca moderna. La cultura classica non la rimuoveva affatto, e anzi ci vedeva un momento di protagonismo tra i piú elevati, tanto che tendeva a costruirci intorno non solo tombe monumentali e culti dedicati alle divinità dei mondi al di là, ma anche una letteratura che magnificava l'attimo eccelso del trapasso. Parlo ovviamente della morte dei grandi, dei ricchi e dei potenti, ma è a quell'immaginario che i piccoli della storia hanno sempre guardato per decodificare anche la propria fine.

Per gli uomini c'è sempre stata molta scelta: da Achille a Sigfrido, da Ercole ad Artú, l'epica è piena di morti maschili celebrate solennemente, dove l'eroe in battaglia soccombe coperto di gloria e ferite, o è vittima di veleni, mostri e inganni, o sceglie orgogliosamente il suicidio piuttosto che umiliarsi come schiavo per mano altrui. La pira funebre di Ettore di Troia leva ancora i suoi fumi verso l'Occidente, stagliata in rilievo su un orizzonte cimiteriale composto dai tumuli di quanti come lui hanno preferito un giorno da leone a cento anni di placida pace ovina con moglie e figli.

L'avvento del cristianesimo arrivò con la forza di un maglio su questo immaginario glorioso e lo rivoluzionò. Gli stessi cristiani in un primo momento non avevano ben compreso che l'uomo della croce avesse in sé tutti gli strumenti simbolici per generare una nuova estetica, meno che mai per renderla dominante. L'eroismo di Gesú Cristo è infatti quanto di meno epico si possa concepire nel senso tradizionale del termine, e per persone educate a sognare la morte in gloria deve essere stato difficile all'inizio immaginare un eroe piú frustrante di lui.

Il falegname di Nazareth era figlio di Dio proprio come molti eroi del mito classico, ma preferí non servirsi dei privilegi che potevano derivargli da quello status, ribaltando le mitologie del potere per farsi vittima sacrificale, tanto piú inerme dove piú i suoi seguaci l'avrebbero voluto combattivo a difesa della sua innocenza. Cristo invocherà dalla croce il suo disperato *perché*, ma nessun parente divino si muoverà dal cielo per dare un segno di potenza ai suoi carnefici. Nessuna freccia scoccherà dall'arco di Afrodite e nessun Poseidone scuoterà il mar di Galilea per proteggere suo figlio con lo tsunami della sua indignazione.

L'immagine sofferente del Crocifisso che si fa portare al macello come pecora muta ha fatto strame di ogni retorica dell'eroe vincitore o almeno resistente, finendo per configurarsi – secondo la puntuale definizione di san Paolo – come «scandalo per i giudei e follia per i pagani». Se per evitare persecuzioni in un primo momento i cristiani stessi non usarono la croce, sostituendola con simboli criptici come il pesce o l'ancora, qualcuno aveva comunque già intuito che avesse una forza comunicativa di natura dirompente; tra questi l'evangelista Giovanni, che scrive nel suo Vangelo la frase fulminante con cui Cristo profetizza la sua fine: «Quando sarò innalzato attirerò tutti a me».

La crocifissione, metafora di elevazione morale attraverso il dolore, diventa subito popolare tra i semplici e i poveri, gente che con la propria croce faceva i conti tutti i giorni e che certo non poteva riconoscersi in un eroe dalle gesta magnificenti. L'annuncio cristiano offriva un modello aspirazionale assai piú vicino alla loro esperienza: un uomo giusto ucciso senza motivo, le cui sofferenze avevano salvato dalla dannazione eterna l'intero genere umano, passato, presente e futuro.

Non erano i tempi dell'ottimismo. Se non c'era speranza di miglioramento in questa terra, se sottrarsi al dolore e alla morte non sembrava proprio possibile, il cristianesimo nascente offriva una strada per dare alla sofferenza comune un senso nobilissimo: aggiungerla per empatia a quelle vissute da Cristo in croce. Sommare i propri dolori ai suoi – letteralmente offrirglieli – diventò una specie di parola d'ordine per i credenti nei secoli, e accogliere l'invito ad abbracciare gioiosamente la croce diventò l'unica prova eroica alla portata dei poveri cristi rimasti in terra.

In contrasto con l'annuncio della Resurrezione, nel Medioevo l'esaltazione del dolore «cristiano» come strada per la salvezza fu la linea pastorale principale della predicazione al popolo. Si fa risalire a quel periodo anche la stesura del famoso testo conosciuto come *De Imitatione Christi*, l'*Imitazione di Cristo*, di autore incerto, ma di diffusione seconda solo a quella della Sacra Bibbia. Nel libro ci sono diversi capitoli dedicati alla sublimazione teologica della sofferenza «cristianamente» intesa, con espliciti riferimenti alla morte come luogo di supremo protagonismo spirituale e alla vita come processo di graduale «mortificazione» dell'uomo:

> Ecco, tutto dipende dalla croce, tutto è definito con la morte. La sola strada che porti alla vita e alla vera pace interiore è quella della Santa Croce e della mortificazione quotidiana. Va' pure dove vuoi, cerca quel che ti piace, ma non troverai, di qua o di là, una strada piú alta e piú sicura della via della Santa Croce.

L'associazione logica tra il cristianesimo e la sofferenza si fece cosí stretta che la devozione popolare tentò di codificarla in liturgia attraverso specifiche pratiche devozionali nelle quali il culto per le sofferenze del Cristo divenne occasione perfetta di rappresentazione delle proprie. Dal Sacro Costato alla Sacra Sindone, tutti i particolari della passione di Gesú vennero esasperati nell'arte, nella preghiera e nella predicazione fino a ingombrare anche lo spazio che sarebbe spettato di diritto all'annuncio della Resurrezione, il cuore autentico del messaggio cristiano. La paraliturgia della Via Crucis divenne il momento centrale di queste rappresentazioni, e di stazione in stazione l'eco di quella distorsione si modulò in canti masochistici che trovano eco ancora oggi, addirittura nella madre di tutte le Vie Crucis, quella del Colosseo a Roma, dove la via è accompagnata dal ritornello: «Santa Madre deh! Voi fate che le piaghe del Signore siano impresse nel mio cuore».

Per porre argine a questa deriva senza particolare fondamento teologico bisognò aspettare fino alla riforma liturgica del Concilio Vaticano II con la quale i padri conciliari cercarono con decisione di ridimensionare l'aspetto autolesionista delle devozioni popolari. Fu necessario metter mano persino alla stessa Via Crucis – che terminava lugubremente con il sepolcro – per consigliare che venisse aggiunta la tappa della Resurrezione, in un estremo tentativo di ricordare agli stessi sacerdoti, prima ancora che ai fedeli, che il cristianesimo è la religione del Risorto, non del defunto massacrato.

A tutt'oggi le comunità piú tradizionaliste celebrano la Via Crucis fermandosi ancora alla morte, ritenendo forse che la certezza della Resurrezione possa minimizzarne l'impatto emotivo costituito dal sacrificio di Gesú. Non hanno torto, anzi in questa teoria sono supportati da secoli di silenzio iconografico, perché il Cristo crocifisso sulle pareti delle nostre chiese da duemila anni la vince di gran lunga sulla ben piú rara rappresentazione del Cristo risorto.

Eppure c'è molto di epico nella costruzione dell'immaginario del fedele come *alter Christus* radiosamente sofferente. Si può dire che l'estetica cristiana abbia tradotto l'epica della morte eroica traslandola in quella del martirio, dando vita a un'impressionante e compiaciuta iconografia splatter. Non solo Cristi grondanti sangue e Sacri Cuori con lo sguardo raggiante e i petti squarciati, ma anche i santi minori vennero proposti alla devozione nell'attimo peggiore della loro sofferenza, divenendo icone statiche del dolore trasfigurato, vivi per sempre nell'attimo della loro morte. Da san Lorenzo sulla graticola a san Pietro crocifisso a testa in giú, da san Paolo decapitato a santa Lucia estirpata degli occhi, da san Sebastiano trafitto dalle frecce a santa Febronia raschiata con pettini di ferro e privata dei seni, fino a santo Stefano lapidato, tutta l'arte popolare cristiana è una galleria dell'orrido dove le pene dei martiri sono ostentate nelle pitture e nelle sculture come doppia prova: da un lato della loro incrollabile fede e dall'altro dell'unione delle loro sofferenze a quelle salvifiche del Cristo crocifisso.

Il coraggio, che nell'epica classica portò gli eroi a compiere grandi gesta per lo piú belliche, nell'estetica cristiana diventa stoica sopportazione del dolore, fino all'eccellenza morale: giungere al martirio senza rinnegare la fede né insultare il carnefice. Per secoli i santi nella Chiesa sono stati soprattutto martiri, emuli eccellenti del Cristo morto di morte violenta, tutti con lui gloriosamente protagonisti.

Quasi tutti.

La bella addormentata nel cielo.

Fu la falsa notizia di una sua prematura scomparsa a costringere lo scrittore Mark Twain a definire ironicamente «oltremodo esagerate» le voci sulla sua morte. La frase in sé potrebbe benissimo essere ribaltata per attagliarsi alla situazione di Maria di Nazareth, sulla cui morte il senso comune dei fedeli ha avuto sempre la certezza opposta: la madre di Gesú in realtà non è mai morta. Questa convinzione non dipende dal fatto che nel Nuovo testamento non c'è scritto che lo sia; neanche la morte di san Giuseppe è stata raccontata nei Vangeli, ma per lui non si è sentito il bisogno di inventare dogmi e narrazioni suppletive. È piuttosto una questione di sensibilità dello spirito religioso popolare: passi la morte di Cristo, che era necessaria al nostro riscatto, ma che anche Maria debba morire è cosa che il devoto nei secoli non ha mai potuto nemmeno immaginare. Sulla morte di Maria è calato da tempo un velo di nebbia anche dal punto di vista dottrinale. Da un lato la teologia non ha mai negato che la madre di Cristo fosse defunta, e del resto se è morto Gesú perché non sarebbe dovuta morire Maria? Ma dall'altro i predicatori e i pastori si son sempre guardati dall'offendere la sensibilità popolare rilasciando una troppo esplicita certificazione di decesso.

Dalla concezione immacolata fino alla nascita, dall'annunciazione fino all'assunzione, sul calendario gregoriano esiste una ricorrenza liturgica per ogni momento della vita di Maria tranne che per la sua morte; persino il dogma che ne sancisce l'assunzione al cielo, avvenuta senza dubbio *post mortem*, non dice mai esplicitamente che la Madonna è deceduta, preferendo affermare con prudenza che l'assunzione ebbe luogo solo dopo che ebbe «terminato il corso della sua vita terrena». Comunque la si voglia presentare, Maria per il cattolicesimo risulta, piú che morta, diversamente viva.

Sebbene la tradizione popolare posizioni la presunta tomba di Maria a Gerusalemme, le agenzie specializzate in turismo religioso la inseriscono tra le mete facoltative nei tour devozionali. Non è tanto la non storicità il motivo del disinteresse – altrove prosperano culti di ben piú imbarazzante infondatezza – quanto la scarsa attrazione verso un luogo dove, almeno nella percezione dei fedeli cattolici, Maria di Nazareth non è in realtà mai stata seppellita.

Per i cristiani ortodossi la questione è se possibile ancora piú radicale, perché della teorizzazione della non morte della madre di Gesú sono state proprio le Chiese d'Oriente a dare la poetica definizione di *Dormitio Mariae*, assimilando lo stato di morte al massimo grado di passività che sia possibile raggiungere restando in vita: il sonno. Per questo anche in Italia tutti i territori che sono stati a lungo sotto l'influenza bizantina venerano la Madonna Assunta in posizione orizzontale, dormiente, incoronata come una regina e distesa su un letto sontuoso vegliato discretamente da angeli oranti.

La sensibilità popolare ha idee molto chiare in merito allo stato di questa particolare tipologia di bella addormentata. Nel mio paese d'origine, dove la chiesa patronale è dedicata proprio a questa specifica raffigurazione dell'Assunta, la preghiera popolare afferma senza tentennamenti che «morta no, ma ses dormída, santamente reposende». *Dormída*, cioè addormentata.

Non esistono raffigurazioni artistiche di Maria morta che abbiano mai avuto qualche fortuna popolare. Quando Caravaggio provò a rompere il tabú, dipingendo il capolavoro *Morte della Vergine*, che la leggenda vuole ispirato al corpo esanime di una prostituta annegata nel Tevere, si vide rimandare indietro l'opera dai frati committenti, offesi dal realismo blasfemo di quel corpo gonfio e livido. L'assunzione al cielo di Maria ha infatti nella devozione popolare, o anche solo nell'immaginario culturale, una raffigurazione del tutto diversa, che nega implicitamente che la Vergine sia mai dovuta passare attraverso l'umiliazione del decesso corporeo: viva e vegeta, Maria sale al cielo incoronata in una profusione di luce, circondata da angeli e santi in una solenne cornice di nubi.

Laddove Cristo ancora oggi muore simbolicamente mille volte al giorno su tutti i muri delle nostre scuole, nell'intimità delle nostre case di credenti, dietro i banchi dei tribunali e sui petti siliconati delle soubrette, la morte di Maria è stata cancellata e sottratta alla rappresentazione, cristallizzando per tutte le donne un modello divinizzato a cui nessuna può accostarsi con qualche speranza di identificazione. Nell'iconografia dominante, quella che ha fondato il nostro immaginario collettivo, la madre di Cristo ha con la morte un rapporto di sola contemplazione: è la *Mater Dolorosa* ai piedi della croce, icona del dolore permanente al capezzale della fine di un altro. Questo silenzioso *Stabat* è la pietra miliare della costruzione dell'idea di Maria come vestale afflitta e funzionale, predestinata a divenire il modello ferreo per la femminilità di quasi venti secoli.

La donna ai piedi della croce non è solo l'eterna testimone della morte altrui. Una Madonna che non conosce la propria fine offre alle donne credenti un patto di mimesi insostenibile, perché stipulato con un soggetto simbolico dal corpo intangibile, sottratto al tempo e in definitiva privo di limite. Se la «Maria che non muore» rappresenta la perfezione a cui non giungeremo mai, se è lei – l'Eternamente giovane – l'obiettivo a cui tendere, significa che in questo gioco siamo destinate a perdere comunque, a meno di non ricorrere a espedienti per ridurre la distanza dal modello. Per questo l'ossessione sociale del «restare in forma» deve spingerci a domandarci nella forma di cosa (o di chi) viene chiesto di riconoscersi. La chirurgia estetica in continuo sviluppo, la cosmetica *antiage* che ci lusinga dagli scaffali e la maniacale manutenzione da palestra a cui ci sottoponiamo non sono solo l'effetto del martellamento pubblicitario che denigra le nostre normalità, ma sono segnali di un desiderio di trasformare il corpo in santuario immutabile, l'indizio dell'incapacità di fare pace con la morte, la nostra.

Il processo di riappropriazione della propria complessità per le donne deve passare attraverso la costruzione di un sano immaginario del limite. È una questione di sopravvivenza, e non solo in rapporto a se stesse, perché la donna rappresentata da Maria offre anche all'uomo un modello inaccessibile e frustrante con cui rapportarsi. Impossibile da possedere, intangibile al tempo e alla sua consunzione, la donna-santuario resta un mistero davanti al quale o ci si inginocchia o si bestemmia.

II.
Di madre ce n'è una sola, e piange

Madre, ti custodirò nella mia casa,
madre, il tuo dolore entrerà nella mia casa,
madre, io ti onorerò con tutta la mia vita,
madre, sei il più grande dono del mio Signore.

Desolata, Gen Rosso.

Memorie cattoliche.

Per otto anni ho fatto l'animatrice in Azione cattolica, occupandomi specificamente di adolescenti, sia a livello parrocchiale che a quello della diocesi. In quegli anni ho iniziato le amicizie più care, quelle sulla cui stabilità ancora posso contare. Ci accompagnava nelle attività un giovane sacerdote pieno di entusiasmo e ricco di pregi abbastanza rari a trovarsi tra le tonache; aveva però un difetto grave che ci divertiva molto: non riusciva a nasconderci una certa inclinazione maschilista, talmente marcata che a volte senza che se ne rendesse minimamente conto sconfinava nella misoginia. A me la cosa faceva imbestialire, ma agli altri piaceva molto provocarlo per vedere fino a che grado di idiosincrasia poteva arrivare la sua reazione.

Uno degli scherzi migliori si giocò sulla scelta della copertina del giornalino autoprodotto dal gruppo giovani della parrocchia. Era il mese di marzo e le carogne scelsero un volto radioso di donna che teneva in mano un mazzo di mimose. Sotto questa immagine fu messo un finto titolo molto in vista, che consisteva in un'assurda frase: NON È COLPA MIA SE SONO NATA DONNA. La copertina gli fu poi sottoposta perché apponesse il nulla

osta prima della stampa definitiva. La prese in mano e
la studiò. Ci fu un attimo di silenzio assoluto, nel quale le ragazze incredule sperarono fino all'ultimo in una
reazione di qualche tipo, mentre i ragazzi sogghignava-
no, pregustandosi già il prevedibile finale. Il giovane
sacerdote sollevò appena un sopracciglio, poi esclamò
solennemente:
– Visto. Si stampi.

Incontri ravvicinati del solito tipo.

Capita spesso che ospiti a casa mia qualche amico durante le vacanze di Pasqua. La primavera in Sardegna è
la stagione piú amabile: la campagna campidanese è tutta
verde e il clima è già mite e piacevole anche quando altrove
si continuano a patire le code stizzose degli ultimi freddi.
Ma soprattutto c'è l'attrattiva delle celebrazioni pasquali
e dei riti tradizionali della settimana santa, occasioni in-
dubbiamente ricche di significato per le persone di fede,
ma capaci di offrire suggestive provocazioni anche ai non
credenti curiosi. Tra il giovedí santo e la domenica di Pasqua c'è l'imbarazzo della scelta: dal dramma del dolore
e della truculenza rappresentati dalle paraliturgie de *s'in-
cravamentu* e de *s'iscravamentu* (inchiodamento e schioda-
mento) – pantomime rispettivamente della crocifissione
e della deposizione nel sepolcro – si passa all'acme della
mattina della Resurrezione, quando in pubblica piazza, tra
spari di mortaretti e tripudio di banda musicale, avviene lo
psicodramma collettivo de *s'incontru*, l'appuntamento tra
la statua di Gesú risorto e quella di sua madre Maria. È il
momento in cui i miei ospiti, credenti o meno che siano,
manifestano tutti lo stesso sbalordimento.

Nei Vangeli non c'è infatti scritto da nessuna parte che Cristo dopo la Resurrezione abbia incontrato sua madre. Ha visto per prima Maria di Magdala, ha fatto un pezzo di strada con i discepoli di Emmaus, ha mangiato pesce arrosto con gli apostoli sulla riva del lago di Tiberiade, ma la Scrittura non serba memoria di un incontro con Maria. Si può certo trovare plausibile che ci sia stato, ma gli evangelisti non devono averlo considerato rilevante, dato che nessuno di loro si è sentito in obbligo di riferircelo. Come è possibile che venga dunque offerta alla fantasia popolare la rappresentazione paraliturgica di un fatto che non ha il minimo riscontro evangelico? Come è possibile che questa rappresentazione avvenga in forma solenne, quasi un apice liturgico, proprio nel giorno di Pasqua?

La spiegazione va cercata nella sensibilità popolare alla quale deve essere sembrata inaccettabile la prospettiva che un qualunque figlio – tanto piú il Figlio per eccellenza – tornando dalla morte non si recasse immediatamente a consolare la sua povera madre. Non stupisce quindi che la gente comune abbia fatto fieramente proprio il rito de *s'incontru*, nonostante faccia parte dell'eredità lasciata in Sardegna dalla pesante dominazione spagnola. Le due processioni, quella con il Cristo risorto e vittorioso e quella con sua madre in gramaglie, procedono per vie diverse in tutti i paesi dell'isola, fino a incrociarsi in una piazza dove il Risorto toglie il velo nero dal volto di Maria che, finalmente radiosa e felice, procede al suo fianco come una regina madre il giorno dell'incoronazione del figlio, seguita da un'unica grande processione di fedeli soddisfatti dalla catartica riunione familiare. La scena, non essendo attestata evangelicamente, non aggiunge nulla a quel che sappiamo di Maria, ma dice invece

moltissimo dell'idea del rapporto con la morte che viene
suggerito a ogni donna: giustificare la propria presenza
sociale dentro l'assenza di un altro, logica conseguenza
di un rapporto sussidiario che solo il ritorno dell'assente – o la celebrazione perpetua della sua memoria – può
mantenere in essere.

Mater molto dolorosa.

Se alla donna credente è stato negato l'accesso all'immaginario della morte come luogo di protagonismo spirituale,
ogni uomo credente guardando al Crocifisso per duemila
anni ha potuto immaginare la propria morte come coro-
namento di un faticoso cammino di avvicinamento al suo
Salvatore, e il proprio dolore come concorso salvifico al
dolore espiatorio di Gesú in croce. Ma che cosa può aver
significato per le donne credenti doversi rapportare a un
modello che della morte femminile non offriva nessuna
rappresentazione capace di dare senso? Cosa ha voluto dire per le donne vedersi negata qualunque lettura «utile»,
cioè redentiva, del proprio dolore? La passione di Cristo è
stata metafora creativa di tutti i patimenti dell'uomo, ma
qual è il significato del dolore delle donne nell'annuncio
cristiano? Lo stesso di quello maschile, avremmo voluto
sentirci dire, giacché Cristo è salvezza per tutti, non solo
per l'uomo. Ma questo è vero solo nella teoria teologica.
     Nella prassi pastorale, sebbene nessuno abbia mai smen-
tito che Gesú dovesse essere presentato come riferimento imitativo maschile e femminile, Maria (o meglio, una
specifica rappresentazione di Maria) è stata sempre e solo
il riferimento delle donne. Non c'è quindi niente di ano-
malo nel fatto che abbia finito per diventarne il modello

preferenziale, riproducibile in alcune precise declinazioni, tra le quali quella della *Mater Dolorosa* è senza dubbio una delle piú efficaci.

L'assenza di una rappresentazione della morte femminile afferma implicitamente che nel morire delle donne non c'è nessun particolare significato teologico, eppure il dolore femminile è stato invece molto ben spiegato. La catechesi lo ha sempre connesso all'essere madre, e non una madre qualunque, ma quella che trova nella *Mater Dolorosa* la sua piú efficace rappresentazione spirituale. La radice del legame indissolubile tra maternità e dolore però va cercata nelle parole antichissime della Genesi, per la precisione nella condanna che prevedeva come conseguenza del peccato originale due punizioni distinte per genere: per l'uomo la fatica del lavoro e per la donna quella del parto.

La Genesi non dice nulla di diverso da quello che doveva essere il vissuto quotidiano dei suoi autori che culturalmente appartenevano a sistemi patriarcali poligamici in cui le donne avevano il compito principale di sfiancarsi con le gravidanze e gli uomini di mettere il pane in tavola. Riveste invece un interesse notevole l'altro aspetto del racconto biblico, quello che oltre a stabilire ciò che i generi devono fare per assolvere la penitenza del peccato originale, indica anche il modo in cui questi compiti devono essere realizzati: *con sudore* il lavoro dell'uomo, *con dolore* il parto della donna.

Nel testo sembra che all'uomo per pagare pegno basti il sudore della fronte, mentre alla condizione femminile viene associata la dimensione ulteriormente punitiva del dolore fisico. La disparità tra le due punizioni non ha mai fatto scandalo: dal momento che era ovvio che la donna avesse una maggiore responsabilità nella cacciata dal pa-

radiso, era altrettanto ovvio che patisse una punizione
piú grave. Partorire, ma soprattutto partorire nel dolore, diventa quindi per il genere femminile la condizione
per stare dentro il discorso cristiano, secondo il quale
la donna che per qualche ragione non avesse portato a
compimento la sua missione procreatrice sarebbe divenuta un non senso teologico, perché l'assenza dell'atto
generativo le avrebbe tolto la sola contropartita morale che il Creatore aveva stabilito per lei nell'economia
delle cose umane. Chi non avesse partorito si sarebbe
cioè sottratta alla punizione, conseguenza naturale della caduta, e avrebbe vissuto sulla terra come una specie
di latitante. Per questo la questione della generazione è
stata per molti anni centrale nella formazione delle donne cristiane, a cui il dolore del parto era collegato come
condizione imprescindibile: l'uno si portava inevitabil-
mente dietro l'altro, e se dal dolore si passava alla morte la cosa rientrava comunque in un regime di sofferta
normalità perché era il prezzo del peccato originale e lo
si pagava, poche storie. Scindere parto e dolore non era
ancora possibile scientificamente, ma soprattutto non
era concepibile teologicamente senza finire a contraddire la visione correlata: le madri cristiane sono sempre
madri dolorose.

Intorno alla metà dell'Ottocento però le cose cominciarono a cambiare. I progressi della medicina analgesica
aprirono la strada a una inaudita possibilità: separare il
dolore dal parto, quindi mettere al mondo figli senza sofferenza fisica. All'inizio queste tecniche erano grossolane
e prevedevano la perdita di coscienza della partoriente –
la regina Vittoria mise al mondo due figli cloroformizzata
– ma via via che gli studi progredivano, anche i metodi si
fecero piú accurati, finché intorno al 1930 non si giunse

alla messa a punto dell'epidurale, un tipo di anestesia che annulla il dolore senza intaccare la coscienza.

Intanto che i medici studiavano, agli attoniti teologi si presentava il non piccolo problema della contraddizione tra la scienza e la dottrina della ineluttabilità del dolore femminile. Alla condanna divina la scienza applicava di fatto un indulto, e cosí negli ambienti ecclesiali le prime reazioni alla possibilità di partorire senza soffrire furono di puro sconcerto: come poteva la scienza arrogarsi il diritto di agire laddove il Creatore aveva stabilito l'obbligatorietà della punizione? Come si poteva tollerare che la donna venisse esentata dal fare il dovuto, considerato quale immensa responsabilità aveva nella caduta? E se la donna poteva scegliere di non soffrire piú di parto, in che cosa si sarebbe concretizzata per lei la punizione per i guasti della creazione imputabili al suo genere?

La scoperta dell'epidurale esasperò un dibattito teologico sul tema del parto indolore che durava già dalla seconda metà dell'Ottocento, e che vedeva le voci piú conservatrici invocare la naturalità intoccabile della sofferenza della donna, contro i progressisti che tentavano di imporre una visione piú metaforica della condanna divina.

Per fortuna delle donne – e non solo di quelle credenti – nel 1956 Pio XII decise di prendere per buona la seconda interpretazione, intervenendo in occasione di un congresso medico sul parto indolore all'Istituto Mendel di Roma, diretto dal cattolico tradizionalista Luigi Gedda. Ecco uno stralcio del suo discorso:

> Una critica del nuovo metodo dal punto di vista teologico deve in particolare occuparsi della Sacra Scrittura, poiché la propaganda materialistica pretende trovare una contraddizione evidente tra la verità della scienza e quella della Scrittura. Nella Genesi (*Gn* 3,16) si legge: «In dolore paries filios», partorirai nel dolore.

Per ben comprendere questa parola bisogna considerare la condanna decretata da Dio nell'insieme del suo contesto. Infliggendo questa punizione ai progenitori e alla loro discendenza, Dio non voleva proibire e non ha proibito agli uomini di ricercare e di utilizzare tutte le ricchezze della creazione: di far progredire passo a passo la cultura; di rendere la vita di questo mondo piú sopportabile e piú bella; di alleviare il lavoro e la fatica, insomma di assoggettare la terra (cfr. *Gn* 1,28). Cosí pure, nel punire Eva, Dio non ha voluto proibire e non ha proibito alla madre di usare i mezzi che rendono il parto piú facile e meno doloroso. Non bisogna però eludere le parole della Scrittura: esse restano vere nel senso inteso ed espresso dal Creatore: la maternità darà molto da sopportare alla madre. Ma in quale maniera precisa Dio ha concepito questo castigo e come lo eseguirà? La Scrittura non lo dice.

Le parole del papa, pur se assolvevano la pratica analgesica in quanto tale, conservavano però l'eterna ambiguità del rapporto tra cattolicesimo e dolore femminile: evitare il dolore del parto per la donna non è illecito, ma che la maternità dolorosa – pur in forme che la Scrittura non esplicita – resti la maledizione specifica per le figlie di Eva è un dato ineludibile. Forse per questo l'apertura papale non venne recepita dal sistema sanitario con la prontezza che le donne si sarebbero augurate: la secolare mentalità del dolore necessario non si cambia in un giorno, e infatti smettere di far soffrire le madri di parto, credenti o non credenti che fossero, non sembrò a nessuno una priorità. A tutt'oggi nel resto del mondo occidentale le nascite senza dolore raggiungono percentuali tra il 30 e il 60 per cento, mentre in Italia solo l'8 per cento dei parti avviene con l'epidurale, e sono numerose le testimonianze di donne che continuano a trovare inspiegabili resistenze alla somministrazione, anche quando ripetutamente richiesta. Non è inutile notare quanto si sia sviluppata una nutrita scuola di teorici del cosiddetto parto naturale, dove «naturale» va letto nel senso di «naturalmente doloroso».

Benché la prospettiva non alletti nessuna donna credente, è interessante notare come nel discorso di Pio XII manchi la possibilità teologica di rinunciare all'analgesico per unire le sofferenze del parto a quelle di Cristo in croce, ovvero l'argomento principe che nei secoli precedenti aveva fatto da filo rosso a tutti i discorsi sulla sublimazione del dolore umano, fisico o spirituale che fosse. In questa assenza di prospettiva da parte di Pio XII deve aver pesato il fatto che il parto è un dolore a carattere esclusivamente femminile, e se Cristo in croce non è mai stato il modello per le donne sofferenti, meno che mai poteva diventarlo per quelle che soffrono generando.

Modello ben piú efficace si rivela invece Maria, la ragazzina di Nazareth che all'inizio del Vangelo di Luca è gioiosa e canta le parole esaltanti del *Magnificat*, ma che dalla nascita del bambino in poi si vede volgere la vita in un incubo, tra fughe rocambolesche in Egitto per minacce di morte e tensioni che mineranno tutte le condizioni della sua pace familiare. L'evangelista è determinato nel descrivere come – sin dal primo momento di accettazione della sua condizione di madre – la vita di Maria cominci a delinearsi come una lunga salita al calvario del figlio, in obbedienza a quella terribile profezia che il vecchio Simeone le fece il giorno della presentazione al tempio di Gesú: «A te una spada trafiggerà l'anima». Maria per tutta la sua esistenza camminerà sul filo di questa spada, scoprendo gradualmente il prezzo amaro del suo primo *sí*.

Affinché fosse chiaro che il *sí* mariano aveva cambiato radicalmente le condizioni dell'altro *sí*, quello di Eva al serpente, alle donne non si è mai permesso di dimenticare che – pur nella analogia di genere – restava una distanza siderale a separarle da Maria: lei è senza peccato originale, pertanto la tradizione vuole che abbia dato alla luce Gesú senza sofferenza, o per dirla poeticamente con Efrem il Siro in una sua famosa omelia, «come l'ostrica dà forma alla perla». Di questa improbabile visione sono complici tutti i presepi che ci presentano la Madonna non distesa e coperta come si addice a una puerpera indebolita dallo sforzo appena compiuto, ma atleticamente inginocchiata a bordo mangiatoia con un atteggiamento tra l'attonito e il devoto. Quella rappresentazione di Maria, oltre che irrealistica, non è di nessun conforto alle partorienti in preda agli spasmi, alle quali non resta che invocare, oltre all'epidurale, l'unica altra versione di Maria sofferente offerta dall'iconografia cristiana: quella sotto la croce, la *Mater Dolorosa* che ha partorito nella sofferenza il figlio di Dio ogni giorno della sua vita terrena fino ad accompagnarlo alla tomba, l'ultima mangiatoia davanti alla quale sarà obbligata a inginocchiarsi.

Le raffigurazioni iconografiche non offrono molte alternative per Maria: o ce la presentano come creatura gloriosa assunta in cielo, oppure misticamente sofferente; la devozione popolare sposerà l'ultima declinazione, giungendo a concepire immagini specifiche anche laddove la Scrittura non offre addolorate a sufficienza. Cosí le apparizioni mariane ci hanno rimandato negli anni una Maria perennemente afflitta per le offese al figlio e a se stessa, i sedicenti prodigi hanno offerto al nostro immaginario madonnine che piangono sangue, e a nessuna di noi è stata risparmiata la visione di una Madonna che regge in mano il proprio Sacro Cuore metaforicamente incoronato di spine, colta in un apice di tale afflizione da richiedere atti di riparazione per ben cinque sabati consecutivi, come dispone la devozione specifica a questa immagine della Madonna.

Il dolore mariano, a differenza di quello di Cristo, non è mai personale, ma è traslato, eco e conseguenza di quello del Figlio. È un dolore di servizio, che serve a rendere piú evidenti le sofferenze del Crocifisso. La rappresentazione di Maria afflitta risulta funzionale nella stessa misura in cui è stata funzionale l'ostensione mediatica delle vedove dell'11 settembre: non serve a mostrare il dolore della donna Maria, ma a massimizzare l'effetto della morte di Gesú; nel momento in cui diventa modello rappresentativo per le donne, il processo finisce per consacrare definitivamente la sofferenza femminile come percorso obbligato verso l'annullamento sacrificale di sé – processo che con un termine tecnico nel cattolicesimo si definisce «oblazione» – dando a intendere che il dolore delle donne, che sia fisico oppure dell'animo, che derivi dalla morte di un figlio oppure dalla sua nascita, non ha nessun significato in sé, non redime e non spiega perché soltanto soffrendo un interposto dolore le donne possono sperare di ottenere un diritto alla consolazione.

Non rimettere i nostri debiti.

Lungo l'arco dei secoli il senso di colpa insito nella consapevolezza di essere figlie della responsabile per eccellenza ha spinto le donne cattoliche a trovare motivazioni spirituali per assumersi nel tempo carichi di dolore, sforzo e responsabilità relazionale sempre piú gravosi. Il peccato originale è un formidabile motivatore. Infatti uno degli aspetti psicologicamente piú interessanti della dottrina del peccato originale è implicare uno stato di mancanza permanente e incolmabile: non essendo stato commesso dalla persona a cui viene imputato è l'unico peccato che non può essere confessato né perdonato in maniera individuale. La macchia di Eva è cronica, inscritta nel nostro Dna e si contrae con la nascita in modo incancellabile: basta tirare il primo fiato e davanti a Dio si è già perduti.

Il cristianesimo insegna che grazie a Cristo si ha speranza di essere redenti dalla condizione di perdizione permanente, ma solo sul piano mistico. Se infatti l'acqua del battesimo abbuona la colpa e riapre i giochi con Dio, non modifica neanche di un millimetro le conseguenze del peccato originale – cioè dolore, fatica e morte – né la debolezza che ne deriva. Secondo la geniale definizione che mi diede una volta una catechista di vecchia scuola, anche se levi il chiodo dal muro, non è che improvvisamente il buco nel muro scompaia.

Questa concezione genera una percezione di sé analoga a quella di un debitore forte, uno che è in difetto di una cifra cosí alta che mai in nessun caso può sperare di tornare in pari con chi gli ha prestato il denaro. Non sembri poco rispettoso il paragone tra peccato e soldi non resi. Dopotutto nella comune predicazione parrocchiale la questione del perdono continua a essere legata al linguaggio esattoriale molto piú che a quello della misericordia, con apici che vanno dall'enfasi sul «rimetti a noi i nostri debiti» del *Padre nostro* alla descrizione di Cristo come colui che con il suo sacrificio ha sanato alla radice la nostra situazione «tributaria» con Dio.

Al rapporto paraeconomico tra peccati e debiti è legata da sempre la pratica delle indulgenze, usanza che nei secoli scorsi condusse gli uomini di Chiesa a permettere l'estinzione dei debiti morali dietro il versamento di somme di denaro variabili a seconda della colpa. Il linguaggio esattoriale fissò il cambio perdono/moneta, almeno fino a quando Lutero non lo mise in discussione. Il meccanismo però valeva e vale solo per i peccati commessi dal fedele in prima persona, dato che in nessun caso le indulgenze estinguono il peccato originale che rimane incolmabile a ricordare all'uomo la sua eterna condizione di difetto dinanzi a Dio. E soprattutto a ricordarlo alla donna, perché se uno dei generi viene percepito come piú colpevole dell'altro nella caduta dell'umanità, anche il dovere di pagare sarà proporzionato.

Scegliendo di incentivare il linguaggio esattoriale i sacerdoti – che nel sacramento della confessione sono mediatori del perdono divino – hanno implicitamente rinunciato a essere percepiti come veicoli di misericordia per accettare di porsi, invece, come esattori di questo costante e collettivo debito morale. Non è una posizione invidiabile quella dell'esattore – a nessuno piace pagare i debiti – ma può anche essere molto conveniente. Risulta illuminante la seguente riflessione di Zygmunt Bauman, il quale parla in modo critico proprio della natura «vantaggiosa» dei debiti permanenti per chi è preposto a esigerli:

> Quello che nessuna pubblicità dichiarava apertamente [...] era che le banche creditrici non volevano veramente che i loro debitori restituissero i soldi. Se i debitori avessero diligentemente ripagato i loro prestiti, non sarebbero piú stati in debito: ma sono i loro debiti (l'interesse mensile pagato su di essi) che i creditori moderni e benevoli (e ingegnosissimi) hanno deciso di trasformare [...] nella fonte principale dei loro profitti costanti. Il cliente che restituisce prontamente il denaro preso in prestito è l'incubo del creditore. [...] Per loro un debitore ideale è uno che non ripaga mai interamente il proprio debito.
>
> *Capitalismo parassitario*

Il meccanismo illustrato da Bauman si presta facilmente a una traduzione metafisica che lascia aperte domande non eludibili. In che cosa potranno mai consistere gli interessi del peccato originale? E se la «teologia del debito» mette in piedi un rapporto di forza stabile tra chi è debitore e chi è esattore, in un mondo simbolico come quello della fede questo dislivello su quale terreno si consumerà?

La dottrina del peccato originale è fondamentale per capire perché le donne cattoliche abbiano di fatto collaborato all'oppressione di se stesse. La condizione di debito spirituale permanente tiene infatti in piedi una situazione parallela di ricatto stabile, giocata di continuo dal pulpito al confessionale, dal linguaggio del catechismo a quello della liturgia. Se non si capisce il meccanismo non si comprenderà mai la docilità, e persino la complicità, di tutte le donne credenti che nei secoli si sono dovute forzatamente veder rappresentate solo con l'immagine e il ruolo che altri avevano deciso per loro. Una immagine che solo fino a un certo punto è quella di Maria. Anzi, si potrebbe affermare che alla costruzione di una figura di donna docile e funzionale sia stata piegata anche la madre di Cristo, attraverso un processo di progressiva eliminazione dal racconto popolare di tutti gli aspetti della sua figura che non sostenevano questa rappresentazione.

Alle donne è stato proposto di saldare il proprio debito assumendosi la responsabilità sulla vita e la morte degli altri, curandosene come vestali. Se la donna è esclusa dalla possibilità di essere soggetto spirituale nella morte, è infatti sempre protagonista del suo contesto. Al capezzale, sulla tomba e sulla pira non solo c'è sempre posto per la donna, ma in un certo senso quello è proprio il *suo* posto, la condizione indispensabile per la glorificazione della morte maschile. La vedova, l'orfana e la madre appaiono sempre come naturale complemento dell'ostensione pubblica della fine dell'uomo.

Quale soldato ventenne è eroico senza una mamma che pianga ai suoi funerali? Quale personaggio pubblico è piú amato di quello la cui moglie muore «stroncata dal dolore» poco dopo? E quale uomo vittima di attentato potrà mai divenire simbolico se la sua vedova e i suoi orfani non sono lí composti e dignitosi a ricevere le condoglianze dal capo dello Stato? L'atto dell'*assistere*, nel suo doppio significato di *prendersi cura* e di *essere testimone* di un evento, diventa per la donna l'unico modo legittimo di continuare a esistere in modo degno.

Il racconto della Genesi è un potente generatore di immaginario: nel momento in cui descrive la vita della donna come una derivazione della vita dell'uomo – la sua costola – apre la strada all'ipotesi che anche nella morte sia ancora una volta il maschio a «generare» per la donna una nuova condizione dell'esistere: la vedova, l'orfana, la vestale della memoria sono comunque un prodotto derivato.

Il riscatto femminile si paga in proporzione a quanto le donne sono disposte a stare a guardia della morte degli uomini: cioè della fatica, vecchiaia, dolore, malattia e debolezza altrui. Anche la donna che non genera resta comunque obbligata a «dare la vita», dedicandosi ai suoi aspetti problematici, quelli che piú strettamente confinano con la morte. Prendersi cura è la natura femminile, dice la vulgata dell'unico paese d'Europa dove la donna è in fondo ancora un ammortizzatore sociale. Anche la Chiesa sostiene questo dogma indimostrabile attraverso autorevoli interventi magisteriali. Ma è solo un altro modo per ribadire che la nostra condizione femminile implica limiti dettati da quella prima colpa.

L'invenzione del genio femminile.

Dal momento che il rapporto tra la Chiesa e le donne è avvicinabile per analogia a un dare/avere tra un soggetto forte e uno permanentemente svantaggiato, l'utilizzo in chiave spirituale della condizione debitoria può diventare un passaggio fondamentale nella gestione del ruolo sociale ed ecclesiale femminile. La donna che per natura non può saldare il debito di Eva si ritrova infatti nella stessa condizione in cui per secoli nelle società antiche si sono ritrovati coloro che non riuscivano a restituire i debiti contratti: quella di venire ridotti in schiavitú, talvolta insieme ai propri congiunti, a servizio del proprio creditore. Il rapporto debitorio delle donne nei confronti dell'umanità è stato risolto in modo non molto diverso: con una richiesta collettiva di oblatività senza contropartita, fondata sulla convinzione, radicale quanto falsa, che la donna a differenza dell'uomo sia per sua stessa natura portata a ruoli di cura, di assistenza, di educazione e di servizio, tutti sintetizzati nell'espressione del «dono di sé».

Naturalmente in tutti i documenti papali e conciliari si ritrova in varia maniera la precisazione che al dono di sé sono chiamati tutti i cristiani, maschi o femmine che siano, a imitazione di Gesú Cristo. Ma accanto a questo principio generale viene sempre ribadito in modo piú o meno esplicito che la donna presenta un'attitudine speciale per questo compito: essa è una madre naturale, una sposa *in pectore*, un'infermiera spontanea, assistente d'infanzia per costituzione e badante per vocazione.

L'idea che la donna in quanto tale sia strutturalmente dotata di sana e servizievole costituzione non è nuova, ma è andata definendosi con sempre maggiore precisione lungo i secoli, fino a esplicitarsi con rara chiarezza in un documento del 1988 a firma Giovanni Paolo II, la *Mulieris Dignitatem*, dove si trova per la prima volta la curiosa espressione «genio femminile», poi divenuta molto popolare.

Nella famosa lettera apostolica è riconoscibile l'intento del papa di attualizzare l'insegnamento della Chiesa sul ruolo della donna, ma anche la volontà di integrare nella tradizione quanto di compatibile si poteva trovare nel linguaggio femminista. Intorno al testo si catalizzò comprensibilmente una grande aspettativa, figlia di una tensione interna anche alla Chiesa.

Al di là degli scontri feroci sulle questioni piú calde della lotta politica, l'elaborazione del movimento delle donne aveva finito per trasfondersi nel sentire di alcuni settori del mondo ecclesiale, alcuni dei quali si adoperarono per farne sintesi, riconoscendo la rispondenza di certe rivendicazioni al messaggio di liberazione del Vangelo. Si trattava però di realtà colte e vicine a contesti urbani, dove il vento di novità non poteva essere ignorato. Il resto del mondo cattolico non guardava certo con favore alla lotta delle donne, nella quale vedeva soprattutto la sovversione dell'ordine fino a quel momento conosciuto come l'unico possibile. Nel suo complesso il movimento delle donne in Italia fu un processo esterno e ostile alla comunità cristiana perché le donne che vi presero parte lottarono soprattutto sui grandi temi del corpo, della libertà sessuale e dell'imposizione di un ruolismo forzato, da sempre campo di battaglia morale della Chiesa.

Dentro la tensione tra progresso e conservazione che ancora negli anni Ottanta agitava nella Chiesa animi e dibattiti, la *Mulieris Dignitatem* non fece alcuna rivoluzione, anzi si limitò a riformulare concetti che erano già saldamente parte della dottrina e del costume, senza sostanziali innovazioni. Il principale è che l'uomo e la donna sono sí pari in dignità davanti a Dio, ma non sono per niente uguali, anzi sono assai diversi. Giovanni Paolo II chiarisce molto bene il fatto che il suo ragionamento non inten-

de concedere alcuno spazio alle dissertazioni sulla pretesa
uguaglianza tra i generi:

> Ai nostri tempi la questione dei «diritti della donna» ha acqui-
> stato un nuovo significato nel vasto contesto dei diritti della perso-
> na umana. Illuminando questo programma, costantemente dichia-
> rato e in vari modi ricordato, il messaggio biblico ed evangelico
> custodisce la verità sull'«unità» dei «due», cioè su quella dignità e
> quella vocazione che risultano dalla specifica diversità e originalità
> personale dell'uomo e della donna. Perciò, anche la giusta opposi-
> zione della donna di fronte a ciò che esprimono le parole bibliche:
> «Egli ti dominerà» (*Gn* 3,16) non può a nessuna condizione con-
> durre alla «mascolinizzazione» delle donne. La donna – nel nome
> della liberazione dal «dominio» dell'uomo – non può tendere ad
> appropriarsi delle caratteristiche maschili, contro la sua propria
> «originalità» femminile. Esiste il fondato timore che su questa
> via la donna non si «realizzerà», ma potrebbe invece deformare e
> perdere ciò che costituisce la sua essenziale ricchezza.

La *Mulieris Dignitatem* è chiara: non solo non fa propria
la questione dell'uguaglianza, ma le preferisce nettamente
quella della differenza, un tema comunque caro al discorso
femminista, ma che il papa porta avanti con un registro (e
un intento) ben diverso. In che cosa consiste per Giovanni
Paolo II l'annunciata differenza della donna, che definisce
come «vocazione», «originalità», «essenziale ricchezza» e
appunto «genio femminile»? La lettera apostolica è tutta
interessante per comprendere questi termini, ma il cuore
del documento papale prende le mosse da una affermazione grave che si presenta nel testo con la pacifica solidità di
un dogma, benché non abbia biblicamente il minimo fondamento: l'esistenza di una «naturale disposizione sponsale della personalità femminile». Secondo l'espressione,
che è propria di Giovanni Paolo II e di nessun altro, la
donna nell'orizzonte ecclesiale non esisterebbe in forza di
un *perché* autoriferito, ma sempre in vista di un *chi*. L'in-

completezza di fondo, la realizzazione che passa sempre e comunque da una relazione di cura e responsabilità, nelle parole del magistero papale diventa per la donna una missione affidata direttamente dal Creatore:

> La forza morale della donna, la sua forza spirituale si unisce con la consapevolezza che Dio le affida in un modo speciale l'uomo, l'essere umano. Naturalmente, Dio affida ogni uomo a tutti e a ciascuno. Tuttavia, questo affidamento riguarda in modo speciale la donna – proprio a motivo della sua femminilità – ed esso decide in particolare della sua vocazione.

Il presunto «modo speciale» in cui si realizza l'affidamento dell'uomo alla donna sta a significare che quello che per chiunque è facoltativo, per la donna è non solo obbligante, ma fonda il senso stesso della sua esistenza dentro il discorso socio-ecclesiale: non realizzarlo equivale a non realizzarsi.

Le declinazioni pratiche di questa «naturale disposizione sponsale» nella lettera apostolica sono solo due: diventare moglie e madre in senso proprio, oppure diventarlo in maniera spirituale attraverso il cammino di consacrazione religiosa all'interno del quale la verginità può diventare occasione di una maternità universale. Per Giovanni Paolo II il modello resta esplicitamente Maria, sintesi simbolica dei due percorsi, dato che li incarna entrambi. La ragazza di Nazareth è infatti pienamente madre, e lo è nel senso più fisico del termine; è però anche vergine, votata al Cristo nella stessa misura in cui lo sarebbe una suora di clausura nel più severo degli ordini conventuali femminili.

Lungo i secoli queste due estremizzazioni, entrambe figlie della stessa idea di donna come creatura «consacrata» all'altro, si sono espresse anche iconograficamente, e se nei primi secoli ha prevalso la rappresentazione materna di Maria, dai primi del Novecento in poi la monaca ha finito per divorare simbolicamente la madre, lasciando che la venerazione popolare si sclerotizzasse su un'immagine mistica e ultraterrena, sempre piú spesso raffigurata senza bambino, con il capo coperto da un velo, la veste candida a negare le forme del corpo e le mani piamente giunte a sintetizzare l'ormai raggiunta dimensione contemplativa.

Dalle braccia di Maria il Cristo bambino scompare affinché possa entrarci virtualmente chiunque, certo di trovare disponibilità e accoglienza a tutte le ore. Nonostante i colori chiari delle vesti, per Giovanni Paolo II la Madre di questa rappresentazione ha ancora una volta i tratti della *Mater Dolorosa* ai piedi della croce, l'interprete sussidiaria della sofferenza causata dalla morte e dall'incuria altrui:

> Contemplando questa Madre, alla quale «una spada ha trafitto il cuore» (cfr. *Lc* 2,35), il pensiero si volge a tutte le donne sofferenti nel mondo, sofferenti in senso sia fisico che morale. In questa sofferenza ha una parte la sensibilità propria della donna; anche se essa spesso sa resistere alla sofferenza piú dell'uomo. È difficile enumerare queste sofferenze, è difficile chiamarle tutte per nome: si possono ricordare la premura materna per i figli, specialmente quando sono ammalati o prendono una cattiva strada, la morte delle persone piú care, la solitudine delle madri dimenticate dai figli adulti o quella delle vedove, le sofferenze delle donne che da sole lottano per sopravvivere e delle donne che hanno subito un torto o vengono sfruttate. Ci sono, infine, le sofferenze delle coscienze a causa del peccato, che ha colpito la dignità umana o materna della donna, le ferite delle coscienze che non si rimarginano facilmente. Anche con queste sofferenze bisogna porsi sotto la Croce di Cristo.

Nonostante i limiti di una visione della femminilità posta «sotto la croce di Cristo», molte donne cristiane hanno creduto di trovare conforto nell'apparente apertura della *Mulieris Dignitatem* alla questione femminile, leggendo nel riconoscimento della loro presunta «specialità» un contributo verso una disposizione piú equa di rapporti sociali e familiari fino a quel momento inamovibili. Purtroppo sono state ingannate. Fatto salvo il ribadire alcune affermazioni generiche sulla pari dignità tra i sessi nella creazione – peraltro già presenti nel magistero di altri papi e del Concilio Vaticano II – la *Mulieris Dignitatem* resta una delle piú radicali conferme della funzionalità femminile che siano mai state rese esplicite nel magistero di un papa.

L'enfasi sulla peculiarità del femminile serví a riconfermare la subordinazione sociale e familiare della donna, non piú enunciata in nome di una inferiorità di genere, ma fondata su una pretesa superiorità di ruolo spirituale. Viene chiamato in causa, per avvalorare la questione della superiorità, quel mistico «servizio» che Cristo stesso praticò nella sua persona, ma che per la donna si traduceva soprattutto in declinazioni pratiche. Che fino a quel momento lo avessero voluto gli uomini o che adesso lo volesse Dio, per le donne il risultato non mutava: veniva nuovamente sancita la loro vocazione speciale alla cura e alla responsabilità verso qualunque vivente, e in modo particolare verso i figli, il marito, la Chiesa e la società. La lettera apostolica si limitava a confermare teologicamente il preesistente ruolo di vestali multitasking.

Il discorso di Giovanni Paolo II ha però anche un altro risvolto, vagamente minaccioso sul piano spirituale: l'affermazione che il «genio femminile» consista in una naturale vocazione alla cura implica necessariamente che le donne non vi si possano sottrarre senza contraddire se stesse. La donna che non si conforma a questa lettura non disattende solo il disegno di Dio – preferendo ancora una volta Eva a Maria – ma tradisce la sua essenza piú profonda, rivelandosi non all'altezza della propria natura.

Al presunto genio femminile non è accostata alcuna definizione di un corrispettivo «genio maschile». Se per l'uomo in quanto maschio è prevista una qualche vocazione specifica nel piano divino, Giovanni Paolo II non ha ritenuto di doverla specificare. Possiamo solo supporre che, oltre all'incuria verso tutte le cose di cui per vocazione deve occuparsi la donna, all'uomo non è richiesto altro che realizzarsi a trecentosessanta gradi, come persona e come cristiano senza che questo comporti alcuna particolare inclinazione alla paternità.

III.

Immaginettario collettivo

Cara santa Gianna,
tu che sei stata una mamma meravigliosa,
intercedi presso il Signore affinché conceda
a mia figlia di diventare mamma presto.
Grazie.
Una mamma addolorata*.

Memorie cattoliche.

Anna, la chiameremo cosí, aveva quarantadue anni ed era ospite dell'hotel dove diversi anni fa lavoravo come portiere notturno. Non era lí in vacanza, tutt'altro: la mattina dopo avrebbe dovuto ricoverarsi nell'ospedale vicino per subire un'isterectomia che avrebbe interrotto lo sviluppo di un tumore uterino. Scese dalla camera alle tre del mattino e con la scusa di una camomilla cominciò a sfogarsi. Sembrava disperata, e io attribuii il suo atteggiamento alla paura per l'operazione. Cercai di rassicurarla, ripetendole che avrebbe dovuto essere contenta perché al suo tumore c'era soluzione, altri non erano cosí fortunati. Ma presto mi resi conto che in quel dolore c'era qualcosa di piú.

Mi raccontò che era figlia unica di una coppia non benestante, e che quando aveva già passato i trent'anni la madre le confidò una verità molto scomoda da accettare: aveva abortito diverse volte dopo la sua nascita, perché aveva deciso di concentrare interamente le risorse familiari sulla formazione dell'unica figlia nata, in modo da offrirle il massimo delle possibilità. Il peso di questa rivelazione

* Preghiera spontanea lasciata sul sito della parrocchia Santa Gianna Beretta Molla di Venaria Reale, Torino.

aveva completamente cambiato la vita di Anna, che era caduta in depressione per il senso di colpa e aveva trascorso la vita sprecando le sue occasioni una per una, incapace di fare pace con l'idea che per offrirgliele fossero stati sacrificati i suoi fratelli e le sue sorelle. Per tutta la sua vita fertile aveva cercato di avere figli nel tentativo vano di compensare gli atti di autosterilizzazione della madre. Benché fosse ormai alle soglie della menopausa, quell'intervento chirurgico significava mettere la pietra tombale sull'ultima possibilità di riparare alle scelte dell'altra donna, sua madre, e forse finalmente perdonarsi. Restò in piedi tutta la notte e all'alba, prima di salire in camera con gli occhi pesti, avendo capito che ero credente mi chiese sottovoce:

– E davanti a Dio alla fine io con cosa mi presento in mano, senza figli e con questo peso addosso?

Non esisteva una risposta giusta, o forse a me mancò il coraggio per dirle che a sembrarmi profondamente sbagliata era la domanda.

La fede del sabato sera.

C'è stato un tempo, non molto distante da questo, in cui parlare delle proprie convinzioni religiose era considerato di cattivo gusto tra persone per bene. Io l'ho imparato da adolescente leggendo un libro che si intitolava *Tutto sulla ragazza dai dodici ai sedici anni*, nel quale, oltre a consigli per la manicure e suggerimenti per scegliere il profumo giusto, c'era anche un capitolo di conversazione bon ton dove si affermava che la fede, insieme al sesso e al denaro, rientrava nel ristretto gruppo di argomenti che era sconsigliabile affrontare in compagnia, perché causa certa di diverbio o imbarazzo.

Le cose oggi sono molto cambiate, al punto che le convinzioni religiose personali sono diventate un tema buono per tutti i salotti, specie quelli televisivi che ospitano sempre piú spesso storie di conversioni di illustri ospiti: attrici, cantanti, giornalisti o sportivi di qualche notorietà. I nuovi convertiti spopolano sulle riviste con la loro fede nuova di pacca o portano in libreria titoli sobri come *Grazie Gesú* e *A un passo dal baratro*, finendo regolarmente in classifica. Paolo Brosio che va a Međugorje, Claudia Koll che invoca Padre Pio, Magdi Cristiano Allam che si fa battezzare da papa Ratzinger, Giovanni Lindo Ferretti che si ispira ai mistici medievali... le cadute da cavallo sulla via di Damasco non si contano piú e siamo circondati da un nugolo di nuovi fedeli sempre piú indiscreti su quello che dovrebbe essere il piú intimo dei misteri.

Parallelamente la televisione si è resa conto che il romanzo spirituale tira quanto e piú di quello criminale, e la conseguenza è stata che le produzioni di fiction dedicate alle vite dei santi si sono moltiplicate a ritmo vorticoso; escludendo le serie tv con protagonisti preti o suore, nell'arco di pochi anni sono passate sugli schermi italiani le vite di san Filippo Neri, san Francesco di Paola, san Giovanni Bosco, Padre Pio da Pietrelcina in due versioni diverse, san Giuseppe Moscati, san Francesco d'Assisi, sant'Agostino d'Ippona, del beato papa Roncalli, dei beatificandi Giovanni Paolo II e Pio XII e delle apparizioni della Madonna a Lourdes.

Sarà anche vero che i produttori televisivi saccheggiano il calendario liturgico perché a corto di idee e poco propensi a scommettere denaro su temi meno popolari, ma certamente i film biografici sui santi continuano a far rilevare un grande riscontro di pubblico, che mostra particolare interesse proprio per i santi portentosi, le apparizioni mariane e le storie dei papi.

Anche i nuovi convertiti che affollano i salotti televisivi per partecipare alla fede del sabato sera hanno storie
da fiction: spesso sostengono di aver beneficiato di prodigi o raccontano episodi suggestionanti. Miracolo, ap-
parizione, conversione inattesa e poi racconto mediatico.
Testimoniare lo stupore. Raccontare il prodigio. Magni-
ficare lo straordinario. Mettere in scena una spiritualità
carismatica e sopra le righe. La loro è la nuova *santità del
fare*, quella che alza l'audience, commuove casalinghe sui
divani e sdogana la professione di fede dall'area degli argomenti tabú alla ribalta della tv.

Santità feriale.

La santità di per sé non è la definizione di un *fare*, ma
l'opzione fondamentale del credente in favore di Dio, che
orienta tutta la sua vita. La condizione spirituale per la
santità è quella dell'*essere*, che viene prima del *fare*. Il santo per il cristianesimo non è chi va in chiesa, compie un
pellegrinaggio, accende un cero o fa molta beneficienza,
ma chi declina il proprio percorso di adesione a Cristo a
livelli di eccellenza, di qualunque cosa si occupi, ovunque
si trovi. Si può essere santi in convento come in carcere,
a scuola o in famiglia, in banca o in miniera, da bambini
o da vecchi, uomini o donne: la materia non cambia, chi è
di Cristo con radicalità, lo è sempre e comunque.

Nonostante questa concezione esistenziale della santità,
per secoli le gerarchie ecclesiastiche preposte ad autorizza-
re le devozioni dei cristiani vivi nei confronti dei cristiani
morti hanno operato scelte di canonizzazione orientate in
modo da far pensare il contrario, cioè che per diventare
santi si dovessero obbligatoriamente fare certe cose ed evi-

tarne altre. Si potevano compiere per tutta la vita centinaia di scelte buone e lodevoli, ma solo un determinato tipo di azioni consentiva il biglietto in prima fila per contemplare l'Altissimo. Per molto tempo nella Chiesa furono valorizzati con l'onore degli altari solo sacerdoti e suore, i cosiddetti consacrati, poiché probabilmente incarnavano l'idea di santità che il clero aveva di se stesso. La prassi dei canonizzatori rispettava una precisa visione classista della vicinanza a Dio, che vedeva il popolo nell'ultimo scalino e le gerarchie ecclesiastiche in cima.

Anche la santità non è la stessa per tutti, ma procede per gradi di intensità: allo stadio piú basso ci sono i servi di Dio, poi i venerabili, che restano tali fino a quando non si prova che abbiano compiuto un miracolo. In tal caso il processo canonico procede verso la beatificazione. Infine, ma solo in presenza di un secondo miracolo accertato, i beati possono essere canonizzati come santi veri e propri.

Fino all'anno mille nessun cristiano che non fosse prete, frate, suora o martire di ambo i sessi fu mai dichiarato santo, e questo radicò nella gente l'idea che la strada dell'autentica eccellenza spirituale non fosse accessibile ai cristiani semplici, che potevano al massimo aspirare a essere brave persone. Bisognò aspettare la canonizzazione a furor di popolo del mercante cremonese Omobono Tucenghi nel 1099 per vedere sugli altari un santo senza tonaca, ma si trattò di un'eccezione: per altri settecento anni il suo rimase un caso unico. Fu solo all'inizio del secolo scorso che i semplici battezzati poterono assistere al prodigio ecclesiale di vedere con piú frequenza qualcuno di loro elevato all'onore degli altari.

Da quel momento, seppur con aperture graduali, gli stadi della santità vennero resi accessibili a una sempre piú varia tipologia di credenti, senza esclusione di percorso.

Nel 1998 Giovanni Paolo II – il piú grande canonizza-
tore della storia della Chiesa – proclamò beato Giuseppe
Tovini, nato nel 1841, cristiano attivissimo nel sociale
e fondatore tra le altre cose della Banca San Paolo e del
Banco Ambrosiano. Ad Alcide De Gasperi, padre della
Repubblica nata dalle ceneri del fascismo e primo presidente del Consiglio italiano, è attualmente riconosciuto
lo status di servo di Dio. Salvo D'Acquisto, il carabiniere
che nel 1943 si distinse per il suo sacrificio durante una
rappresaglia nazista, è in via di beatificazione in apposi-
ta causa, ma è già veneratissimo in tutte le caserme a lui
intitolate. Il torinese Piergiorgio Frassati, nato nel 1901
e morto all'età di appena ventiquattro anni, giovane stu-
dente figlio del fondatore del quotidiano «La Stampa» e
attivo nell'associazionismo e nella carità verso i poveri, è
stato beatificato da Giovanni Paolo II nel 1990 e offerto subito alla venerazione dei giovani. Giorgio La Pira,
sindaco democristiano di Firenze e figura di spicco della
politica italiana del dopoguerra, è anch'egli servo di Dio
dal 1986. I nomi di laici proposti alla venerazione come
modelli di santità vissuta si sono moltiplicati nel tempo
e ai santi, beati, venerabili e servi di Dio non viene piú
chiesto di essere martiri per conquistarsi gli altari, né di
dar mostra di doti spirituali inarrivabili rispetto alla media degli uomini. L'ascesa agli altari di queste persone è
stata una vera rivoluzione il cui merito va riconosciuto
soprattutto a Giovanni Paolo II: dei 482 santi canonizzati in ventisette anni di pontificato, ben 248 erano laici. Attraverso queste canonizzazioni la santità non solo
è uscita dal ristretto recinto delle tonache e dei giorni
speciali, ma è divenuta cosa feriale, ordinaria, accessibile all'esperienza di chiunque. Di chiunque sia maschio,
quantomeno.

La parabola della santità femminile è infatti ben diversa da quella ampia e gradualmente sempre piú variegata che ha interessato gli uomini cristiani. A partire dal Novecento i modelli di virtú spirituale offerti alle donne non subirono la stessa evoluzione. Il prolifico pontificato wojtyliano in materia di canonizzazioni è utile a capire che criterio si è seguito per riconoscere percorsi di santità femminile, o eventualmente per negarli. Giovanni Paolo II ha elevato agli altari molte donne, soprattutto martiri ma anche suore comuni, o fondatrici di ordini religiosi femminili. Solo una non aveva preso i voti: Gianna Beretta Molla, che il sito del Vaticano qualifica come «madre di famiglia».

Gianna, madre da morire.

La storia di Gianna sembra uscita da libro *Cuore*. Decima di una famiglia religiosissima che di figli ne aveva avuti tredici, tre dei quali consacratisi poi alla vita religiosa, ebbe un'infanzia e un'adolescenza di impressionante linearità spirituale: comunione quotidiana, studi in scuole confessionali, attività di apostolato laicale in dozzine di associazioni cattoliche, fino alla scelta – del tutto conforme alla sua indole oblativa – della professione di medico, che infatti svolgeva anche da volontaria presso varie istituzioni. Quando aveva trentatre anni si sposò con Pietro Molla e gli diede tre figli, condividendo con lui la vita spiritualmente attiva che entrambi sentivano propria. La sua fu un'esistenza esemplare, ma non dissimile da quella di molte altre cristiane praticanti. È improbabile che sarebbe bastata per far sorgere attorno a lei la necessità di un processo di canonizzazione.

Nel 1961, mentre aveva in corso la quarta gravidanza, le fu riscontrato un voluminoso tumore benigno all'utero e si rese necessaria l'asportazione immediata. Gianna rifiutò di interrompere la gravidanza per curarsi adeguatamente, e pregò invece il chirurgo di eseguire un intervento di asportazione del solo fibroma, facendo in modo di non arrecare nessun danno al feto durante l'operazione di rimozione. L'intervento apparentemente riuscí e Gianna poté, sebbene con fatica, portare la gravidanza fino al suo termine. Durante il parto cesareo però si verificarono complicazioni tali che morí non senza aver ripetuto al marito e ai medici che in caso di scelta tra la sua vita e quella della figlia, era pronta a sacrificare la propria. La sua morte lasciò Pietro Molla vedovo con tre bambini piccoli e una neonata, viva e perfettamente sana, a cui fu dato il nome di Gianna Emanuela. Era il 20 aprile del 1962, venerdí santo.

I riconoscimenti alla speciale santità di Gianna Beretta Molla furono immediati e pubblici. Il cardinale di Milano Giovanni Battista Montini, futuro papa Paolo VI, venne a conoscenza della vicenda l'anno stesso della morte, quando fu assegnata alla memoria della donna una medaglia d'oro di benemerenza, con questa motivazione: «Il suo nome testimonia ed esalta il sublime eroismo di tutte le mamme». Quattro anni dopo il provveditore agli studi di Milano fece intitolare a Gianna Beretta Molla la scuola elementare di Ponte Nuovo di Magenta, dove era nata e aveva compiuto i primi studi. Anche a questa cerimonia era presente Montini che tenne un discorso in cui leggeva le ultime vicende umane di Gianna in chiave sacrificale e associava la sua scelta all'esempio di Cristo in croce, modello perfetto di quanti danno la vita per salvare quelli che amano. Questi due avvenimenti e la loro rilevanza pubblica diedero il via all'apertura dell'iter per la causa di beatificazione. Nel 2004, intitolato dall'Assemblea generale delle Nazioni unite come Anno internazionale della famiglia, Giovanni Paolo II la proclamò definitivamente santa e nell'omelia si augurò che la nostra epoca potesse «riscoprire, attraverso l'esempio di Gianna Beretta Molla, la bellezza pura, casta e feconda dell'amore coniugale, vissuto come risposta alla chiamata divina».

Sono numerosi i casi di eroismo spirituale tra i cristiani e le cristiane, molti piú di quanti si creda, ma la scelta di elevarne alcuni all'altare piuttosto che altri è sempre frutto di complesse valutazioni di opportunità anche politica che esulano dai risultati effettivi dei singoli processi canonici. Ecco perché i percorsi di riconoscimento delle virtú eroiche di alcuni cristiani durano molti decenni o si arenano prima dell'ultimo stadio, mentre quelli di altri si concludono in tempi rapidi. Non ingannino i casi clamorosi in cui il furor di popolo costringe alle vie brevi del «santo subito»; per quanto popolari possano essere, le vite eroiche poco gradite all'establishment gerarchico non sfociano mai in un riconoscimento pieno o immediato: è dal 1997 che è fermo il processo canonico di Oscar Romero, il vescovo salvadoregno ucciso mentre elevava l'ostia nella celebrazione eucaristica da un sicario del regime del quale aveva sempre denunciato gli orrori; quello a don Lorenzo Milani non è mai nemmeno cominciato. Di esempi se ne potrebbero fare a decine.

La santificazione di Gianna Beretta Molla da questo punto di vista fu uno degli atti piú pastoralmente politici del pontificato wojtyliano. Al di là della vita oggettivamente limpida della dottoressa di Magenta, la sua elevazione agli altari costituiva un gesto di forte indirizzo simbolico, almeno per tre motivi: si trattava di una laica, si trattava di una madre e si trattava di una donna morta di parto per aver scartato l'ipotesi di un aborto terapeutico. Non era un messaggio da poco per le donne cristiane.

Nella *Mulieris Dignitatem* Giovanni Paolo II aveva già indicato la maternità come via possibile alla santità, ma la lunga lista di suore sante nel calendario della Chiesa non forniva alcuna prova della possibilità di realizzare davvero questo percorso, fatta salva la maternità tutta speciale della Madre di Cristo. Gianna Beretta Molla si rivelava perfetta per coprire quel vuoto simbolico. Attraverso di lei si mostrava alle donne che un'altra via di santità oltre al velo di Rita da Cascia e al martirio virginale di Maria Goretti era effettivamente possibile. Questa via non era costituita dall'esercizio dell'economia a fin di bene, come nel caso di Tovini, e non era una visione evangelica dell'azione politica come per De Gasperi o La Pira; non era nemmeno la generosità nell'assistenza agli ultimi del giovane Frassati e neanche fare il proprio dovere con animo eroico come Salvo D'Acquisto: la nuova via per le donne alla santità era la maternità.

Nessun uomo è mai stato beatificato per aver accettato di essere padre fino alle estreme conseguenze; al contrario, le beatificazioni laicali maschili sembravano dire agli uomini che potevano diventare santi anche fondando cristianamente banche o partiti politici o facendo bene il proprio lavoro; attraverso la canonizzazione della Molla si mostrava invece alle donne che per arrivare a vedere Dio senza passare per il convento l'unica altra strada era il matrimonio e fare figli. Un dato ulteriore era che la gravidanza di Gianna Beretta Molla non era come tutte le altre: c'era di mezzo una patologia che entrava direttamente in conflitto con il prosieguo della gestazione.

La dottrina morale cattolica sa essere molto sottile in casi come questi: abortire con l'intento di interrompere una gravidanza indesiderata non è mai accettabile moralmente, e rende effettiva la scomunica automatica; ma se l'aborto è conseguenza indiretta e involontaria della cura di una patologia che mette a rischio la salute della donna, anche se l'interruzione della gravidanza resta un male, è però un male incolpevole perché manca nel compierlo quello che la dottrina cattolica definisce «principio del duplice effetto». Avere contemporaneamente nel ventre un fibroma e un feto, come nel caso della Beretta Molla, rappresenta proprio la circostanza esemplare a cui si riferisce questo indirizzo morale.

Nessuno dunque nella Chiesa avrebbe scomunicato né criticato quella madre se a trentanove anni, con un fibroma nell'utero, tre bambini piccoli da accudire e un marito molto amato, avesse scelto di curarsi accettando l'interruzione di gravidanza come prezzo per la propria sopravvivenza. Gianna Beretta Molla scelse invece la strada del martirio, e il suo eroismo va riconosciuto e rispettato; ma sarebbe stata meno santa la sua vita esemplare se in quel momento avesse fatto un'altra scelta? La sua canonizzazione sembra suggerire di sí, il che implica che tutte le madri cattoliche che si trovassero nella terribile condizione di dover scegliere tra l'aver cura della propria vita o preservare quella in arrivo, se decidessero di sopravvivere non farebbero male, ma se scegliessero di morire farebbero meglio.

Teresa, l'altra faccia della medaglia.

Quando nel settembre del 1997 si spense Anjeza Gonxhe Bojaxhiu, la suora albanese nota al mondo come Madre Teresa di Calcutta, Lady Diana Spencer era morta da nemmeno una settimana nell'incidente automobilistico del tunnel dell'Alma a Parigi. Sui giornali le loro foto erano spesso affiancate, e anzi ne circolavano alcune dove la bella principessa del Galles e la vecchia religiosa curva sui suoi anni camminavano fianco a fianco, come se avessero avuto simbolicamente qualcosa da spartire. Da un certo punto di vista era vero: a dispetto delle loro opposte esistenze, entrambe erano icone efficacissime di femminilità. Diana era l'incarnazione della principessa triste delle fiabe, immaginario dentro cui l'avevano preceduta donne tragiche come Grace Kelly e Soraya di Persia. Ma di quale narrazione era portatrice la piccola suora di Calcutta? La risposta è tutt'altro che irrilevante, perché suor Teresa non è un modello tra i tanti, ma la donna cristiana più famosa al mondo dopo la Madonna.

La sua storia è sintetizzabile nella frase: «Si occupava dei poveri». Anzi, dei più poveri tra i poveri, come lei stessa amava dire, che in India non le mancavano di sicuro. Lebbrosi, bambini abbandonati, fuori casta a vario titolo ed emarginati da ogni cerchia civile trovavano in lei una mano accogliente e un aiuto concreto. Per portare avanti questa visione totalmente oblativa della propria consacrazione, Madre Teresa fondò le Missionarie della carità, un ordine riconoscibile dal candido sari indiano e noto soprattutto per l'attività di conforto ai deboli e ai sofferenti, ma di natura principalmente contemplativa: dei suoi cinque rami, ben tre sono dediti alla sola preghiera, supporto spirituale considerato fondamentale per il lavoro di chi si occupa attivamente dei poveri. L'opera di Madre Teresa e delle sue suore è encomiabile, ma, come quella di molti missionari di frontiera al servizio degli ultimi, sarebbe rimasta circoscritta al suo ambito se i mezzi di informazione non avessero cominciato a occuparsi di lei con sempre maggiore insistenza, intuendo il portentoso potenziale mediatico del suo carisma spirituale. Era la santa vivente che i media desideravano. Anche la Chiesa, però, aveva bisogno di qualcosa di importante da Madre Teresa.

Minutissima, tutta curva su se stessa, costantemente con le mani giunte e soprattutto vecchia, vecchissima, la suora di Calcutta incarnava alla perfezione l'altra faccia del modello bidimensionale femminile del cattolicesimo. Su un lato della medaglia stava la donna giovane, modestamente bella e interiormente pura, attiva nella fertilità e passiva nel carattere, sposa fedele e madre fino alle estreme conseguenze; sull'altro la donna anziana libera dagli obblighi della propria sessualità, ma comunque vincolata a quelli della fede, devotamente contemplativa dello sposo divino e maternamente caritatevole verso i suoi figli mondani. Entrambi i modelli sono consacrativi (vocazione materna e vocazione alla vita religiosa) e hanno il pregio impagabile di non chiedere alla Chiesa spazi diversi da quelli del servizio.

Quando le donne si immolano nel volontariato, nella cura operosa del prossimo sofferente e nella maternità vissuta come dimensione esclusiva della propria femminilità, la Chiesa non lesina loro visibilità, arrivando a portarle sugli altari come esempio per tutte le altre. Madre Teresa, che di questa interpretazione sacrificale della femminilità si poteva considerare l'eccellenza, poté essere beatificata già cinque anni dopo la morte, grazie alla speciale autorizzazione di Giovanni Paolo II che aggirò l'obbligo di aspettare dieci anni prima di investigarne le virtú spirituali. Come già detto, nel calendario dei santi non c'è invece traccia delle moltissime donne che, come i santi e beati maschi, hanno dato la propria testimonianza di fede in spazi di vita politica, sociale, scientifica, professionale o comunque fuori dal limitato spettro di possibilità della sposa/madre/suora. La santificazione mediatica di Madre Teresa mentre era ancora in vita e la sua progressiva trasformazione in icona mondiale della carità hanno offerto alle donne l'ennesimo esempio estremo di femminilità di servizio che nell'amore all'altro realizza l'annullamento di sé, proprio come aveva già indicato la glorificazione di Gianna Beretta Molla. Sarebbe però riduttivo per spiegare la benevolenza straordinaria che ben due papati riservarono a questa suora, e solo a questa. Madre Teresa faceva infatti qualcosa di piú che soccorrere i poveri in India: si era assunta il compito di essere la testimonial di alcune delle piú impopolari battaglie morali che la Chiesa portava avanti nel mondo, impegnandosi nell'impresa con una credibilità per molti versi superiore a quella del papa stesso: era donna, era priva di potere gerarchico, era povera e dei poveri si occupava.

Quando nel 1979 le fu assegnato il premio Nobel per la Pace, Madre Teresa usò quell'attimo di estrema visibilità planetaria per pronunciare un durissimo discorso contro l'aborto che lasciò attoniti per l'imbarazzo i presenti alla cerimonia. In forza dell'intervento, il Movimento per la vita la nominò presidente onoraria. Le sue posizioni ostili alla contraccezione e al divorzio erano ben note e continuamente ribadite, sia in occasione di battaglie pubbliche nelle quali non esitava a prendere posizione, sia nei numerosi discorsi che le capitava di pronunciare incontrando i grandi della Terra. Madre Teresa per la Chiesa cattolica non rappresentava solo una campionessa di carità, era soprattutto una vestale della sua dottrina morale sulla vita, quella che maggiormente interferiva con la libertà delle donne di disporre di se stesse.

Per la Madre dei poveri di Calcutta l'esistenza delle donne è ordinata a due soli scopi ineludibili, ben esposti nella sua lapidaria frase: «È questo il destino di noi donne, per questo siamo state create: per essere il cuore del focolare o il cuore della madre Chiesa». Dove mai Giovanni Paolo II avrebbe trovato una sintesi piú efficace per spiegare il nocciolo della *Mulieris Dignitatem*, e una incarnazione del concetto di «genio femminile» piú credibile e disinteressata di Madre Teresa? Nella piccola suora di Calcutta c'era già tutto: era la prova provata che nell'ordine naturale del mondo le donne sono il cuore che serve e gli uomini la testa che ordina.

Il soccorso della teologia maschilista.

Madre Teresa non si era inventata niente esprimendo la convinzione che il mestiere femminile nell'economia strutturale della Chiesa fosse fare l'angelo del focolare. La suora albanese si limitava a esporre con parole proprie – e a praticare – una teoria che nel mondo cattolico era prassi da secoli, e che in Giovanni Paolo II (e nella sua *Mulieris Dignitatem*) aveva trovato un difensore di grande efficacia. Perché difesa oramai andava davvero, quella posizione. Se infatti fino alla metà del secolo scorso la marginalità femminile non aveva avuto bisogno di particolari elaborazioni teologiche, dopo le lotte femministe e le trasformazioni sociali, culturali ed economiche, la questione del ruolo della donna nella società e nella Chiesa si era imposta come uno dei temi piú scottanti del post Concilio, costringendo *obtorto collo* anche le gerarchie a interrogarsi su quanto potesse essere evangelicamente fondato continuare a pensare la donna solo nei termini del silenzio, del servizio e del nascondimento. L'apporto delle teologhe avrebbe potuto essere fondamentale per sviluppare percorsi ecclesiali piú liberanti e rispondenti al tempo e al Vangelo, ma ancora una volta, quando venne il momento di fare le scelte non fu la loro elaborazione a prevalere.

La *Mulieris Dignitatem* deve molto di piú a Hans Urs von Balthasar, un teologo svizzero tra i piú importanti del Novecento, nonché precursore di molti temi del Concilio Vaticano II (al quale però non fu invitato, perché il suo pensiero non era stato ancora completamente compreso). Von Balthasar si inventò un geniale artificio teologico che si rivelò cosí efficace a dirimere la questione femminile nella Chiesa da ispirare alla sua linea tutti i successivi papi, vescovi e parroci di buone letture, fornendoli di notevoli argomenti retorici.

Il concetto – noto come «principio mariano-petrino» – si trova in un testo del 1974 intitolato *Il complesso antiromano*, e von Balthasar non lo elaborò a proposito della questione femminile, ma di un tema altrettanto spinoso: l'esistenza del papato nella Chiesa universale, ovvero la supremazia di potere esercitata dal vescovo di Roma su tutti gli altri, che tanti problemi stava creando al dialogo ecumenico, sia con le Chiese sorelle dell'ortodossia d'Oriente che con quelle della Riforma in Occidente. L'intento di von Balthasar non era quindi dire qualcosa di rivoluzionario, ma giustificare la necessità teologica, e non solo storica, del pontificato di Pietro e dei suoi successori alla cattedra di Roma. Per farlo von Balthasar teorizzò l'esistenza nella Chiesa di due princîpi fondativi, posti tra loro in positiva tensione: il principio petrino e quello mariano. Grazie a questa formula fortunatissima il teologo svizzero metteva in opposizione le figure di Pietro e di Maria, trattandole come archetipi fondativi, praticamente il padre e la madre del sistema Chiesa.

Davanti alle cose complesse e alla difficoltà di comprenderle pienamente, il ricorso ai bipolarismi risulta spesso vincente. Bianco/nero, notte/giorno, uomo/donna, Cristo/Chiesa, corpo/anima, anche Pietro/Maria: tutta la realtà che ci circonda diventa piú comprensibile se affrontata secondo un metodo binario. La fortuna della formula teologica di von Balthasar si deve in gran parte proprio a questa semplificazione dualista, che vede da un lato la necessità di un fondamento di autorità paterna, incarnato dal ruolo pontificale di Pietro, e dall'altro quella di una essenza mistica, accogliente e contemplativa, individuata invece nel ruolo materno, silenzioso e nascosto di Maria. von Balthasar stava esponendo la stessa equazione simbolica che le donne cristiane sperimentavano sulla propria pelle da secoli: al principio maschile spetta il potere e l'amministrazione delle cose ecclesiali, a quello femminile la custodia e la cura delle cose intime. Per spiegare l'essenza del principio mariano, von Balthasar si serve della stessa similitudine che vent'anni dopo avrebbe pronunciato Madre Teresa di Calcutta: «L'elemento mariano governa nascostamente nella Chiesa, come la donna nel focolare domestico».

La necessità del governo papale sulla Chiesa universale va fondata per von Balthasar sulla necessità di una gerarchia tra il maschile e il femminile, il visibile e l'invisibile della Chiesa, rappresentata dalle figure di Pietro e Maria. L'espediente della coesistenza di un «governo ombra» di matrice mariana contrapposto al governo effettivo di stampo petrino, secondo von Balthasar avrebbe dovuto convincere le altre chiese della fondatezza teologica di un sistema allo stesso tempo gerarchico e collegiale. von Balthasar approntò però di fatto nuove basi simboliche al ruolo che nella Chiesa da sempre si pretende di attribuire alle donne: vocazione speciale di nascoste governanti, silenti detentrici di un potere muto che rappresenta però il perno su cui si fonda il potere dotato di voce e che determina un intero sistema familiare, sociale ed ecclesiale saldamente patriarcale. Che il silenzio/assenso femminile sia la condizione fondamentale perché quel modello di mondo continui a reggersi non c'è il minimo dubbio, ma che questo silenzio sia la natura immutabile della donna è invece tutto da dimostrare.

Sia Paolo VI che Giovanni Paolo II, oltre allo stesso Benedetto XVI, utilizzarono le argomentazioni di von Balthazar in circostanze pubbliche per parlare di volta in volta della Chiesa, della donna, di Maria o di se stessi in quanto pontefici. Viene da chiedersi, come ha fatto la presidente del Coordinamento teologhe italiane Marinella Perroni, «in che misura queste diverse amplificazioni retoriche sono esenti dai cascami dell'identificazione donna-focolare, cioè l'identificazione tra femminile e domestico, femminile e interiore, femminile e accogliente, femminile e spirituale? [...] La questione si pone in tutta la sua durezza: il *topos* del principio mariano-petrino non esprime un'ideologia e una retorica della differenza sessuale e della differenza di genere che la feconda intersezione tra modernità e questione femminile ha ormai smascherato come una delle coperture dei privilegi patriarcali?»

Probabilmente sí, ma è proprio quella la chiave del suo successo.

Maria, Antonia e le altre.

Alla fine di febbraio del 2011 una notizia scosse la pubblica opinione italiana: una giovane turista spagnola denunciò di essere stata stuprata da due uomini nella centralissima piazza di Spagna a Roma. Il sito internet del «Corriere della Sera» titolò severamente: «Aggredita e violentata a Trinità dei Monti». Per giorni le cronache furono invase dalle polemiche sull'insicurezza della città e sul pericolo per l'incolumità fisica delle donne. Poche settimane dopo, la notizia si sgonfiò allorché la sedicente vittima confessò agli agenti della squadra mobile di essersi inventata tutto per coprire un gioco erotico compiuto insieme al suo compagno: l'accordo tra i due prevedeva che lei giocasse a fare la prostituta per avere rapporti sessuali con altri uomini. Il sito internet del «Corriere della Sera» titolò l'epilogo della vicenda in questo modo: «Non stupro ma gioco erotico: shock a Roma». Doveroso chiedersi come mai la città di Roma avrebbe dovuto sentirsi «shockata» – e non invece sollevata – dalla scoperta che la turista non era stata violentata per niente. Possibile che la notizia della forzatura di una donna all'atto sessuale apparisse al principale quotidiano d'Italia meno «shockante» per l'opinione pubblica di quella di una donna che aveva fatto sesso volontariamente con uno o piú sconosciuti?

Nello stesso giorno veniva seppellito il corpo di Yara Gambirasio, la tredicenne di Brembate in provincia di Bergamo scomparsa da mesi e ritrovata uccisa nelle campagne vicine al suo paese. Sul corpo di Yara non erano stati riscontrati segni di violenza sessuale. Il suo parroco nell'omelia ne dedusse che era «come santa Maria Goretti, morta per proteggere la sua castità».

L'idea del desiderio maschile come elemento di nascosta minaccia per la donna non è del tutto priva di fondamento: le cronache sono piene di casi in cui questa minaccia si trasforma effettivamente in dramma per molte donne. Ma assolutizzare questa prospettiva fino a normalizzarla o volerla vedere anche dove forse non c'è tradisce una visione distorta del rapporto sessuale tra uomo e donna, che appare solo come una lotta tra un *sí* e un *no* radicalizzati, tra un desiderio che si suppone ossessivo e una resistenza altrettanto radicale, disposta a soccombere piuttosto che essere sopraffatta. Questo schema affida all'uomo e alla donna i ruoli di cacciatore e di preda, una similitudine che implicitamente legittima l'uso di un metodo violento tra il soggetto forte e quello piú debole. Dentro questa cornice è piú accettabile che la turista spagnola avesse subito violenza in quanto vittima del desiderio maschile, piuttosto che sopportare lo «shock» di immaginarla libera di decidere di darsi. E se anche non si sono trovate tracce di violenza sessuale sul corpo di Yara Gambirasio, non farà differenza sull'immaginario generato dallo schema preda/cacciatore.

Nel cattolicesimo il pregiudizio che vuole la donna come soggetto passivo è molto radicato. Per secoli le spose cristiane si sono sentite ripetere che non dovevano mostrarsi troppo coinvolte nel rapporto sessuale, altrimenti il marito avrebbe pensato che erano delle scostumate. Anche dopo che il cattolicesimo ha smesso di essere l'unico agente culturale delle giovani generazioni, alle ragazze si è continuato a insegnare che non era bene concedersi ai fidanzati prima di averli costretti a diverse insistenze, a meno di non voler passare per donne facili. È in questo gioco di finzione che si fonda la dicotomia tra puttane e spose, cioè la netta distinzione tra donne con cui vivere senza freni il gioioso istinto carnale e quelle con cui realizzare il placido progetto di vita coniugale.

L'educazione religiosa alla ritrosia sessuale ha generato nelle donne una condizione di forte ipocrisia tra il *dover dire* e il *voler fare*, condannando alla clandestinità il loro desiderio e imponendo agli uomini una visione distorta del complesso mondo erotico femminile, che a lungo è stato ignorato. Il concedersi o negarsi al desiderio maschile finí per essere l'unica forma di potere permessa alle donne, e i tempi e modi della contrattazione del consenso al rapporto sessuale divennero il solo spazio per esercitarlo. Tuttavia nell'orizzonte cattolico questo consenso era lecito solo se ordinato alla procreazione all'interno del matrimonio, e solo nel piú estremo dei casi poteva servire a dar sfogo alle voglie maschili poiché quelle femminili non erano nemmeno messe in conto.

Sant'Agostino, nell'opera *De bono coniugali*, specificava con chiarezza che la disponibilità della sposa a soddisfare la libidine maschile serviva non a trarre piacere per sé, ma solo a evitare che il marito commettesse adulterio con la moglie di un altro o andasse a prostitute, eventi che dal punto di vista morale apparivano al vescovo africano assai peggiori di un accoppiamento concesso da un coniuge come *remedium concupiscentiae*, rimedio alla concupiscenza dell'altro. Se godimento da questo atto avesse dovuto derivarne, esso andava accolto con volontà contraria, configurando per la donna la condizione schizofrenica di poter esprimere il consenso solo dentro il diniego.

La donna cattolica può concedersi solo forzandosi a farlo, cioè di fatto negandosi. Per l'uomo le condizioni non erano meno assurde: il ricorso al rapporto sessuale diventava per lui la prova della propria incontinenza davanti al desiderio, cioè della propria debolezza spirituale; in questa prospettiva la donna poteva venire percepita solo come tentatrice. Il gioco del corteggiamento alla fine implicava il confronto con una compagna che cedeva solo dicendo: «Mi concedo al tuo godimento, ma a me non piacerà: il

mio sí nasconde un no». Queste condizioni trasformavano
ogni rapporto sessuale coniugale in un evento idealmente
vicino allo stupro.

La presunta assenza di interesse femminile per il sesso,
che invece si dà per scontato divori l'animo libidinoso
del maschio, non va intesa come una giustificazione per
la donna a negarsi: in rapporto al suo corpo la volontà femminile non è mai stata considerata vincolante, a
maggior ragione dentro il matrimonio cristiano, a cui si
arrivava spesso costrette dalla famiglia. La ritrosia con-
sigliata non era dunque un rifiuto, piuttosto andava intesa come una indicazione di metodo per arrivare a dire
piú cristianamente di sí.

Soltanto in un caso il rifiuto della donna a prestarsi come rimedio alle voglie dell'uomo era da considerarsi invio-
labile: quello in cui avesse deciso di conservare la propria
verginità in vista di una piú piena consacrazione a Cristo.
Per i padri della Chiesa era un principio condiviso e in un
primo momento consigliato anche agli uomini. Nel lungo processo di sedimentazione dei secoli successivi, l'idea
della verginità come indice di purezza e integrità morale si consolidò però quasi esclusivamente in relazione alla
figura femminile, raggiungendo la sua apoteosi all'inizio
del Novecento con la santificazione di Maria Goretti e le
beatificazioni di Antonia Mesina, Pierina Morosini e Teresa Bracco, tutte e quattro assassinate nel corso di tentativi di violenza sessuale.

La raffica di santificazioni di donne «morte di verginità» si colloca non certo casualmente fra la proclamazione
del dogma dell'Immacolata Concezione nel 1854 e quello
dell'Assunzione di Maria Vergine al cielo nel 1950. Le prime due ragazze, Maria Goretti e Antonia Mesina, offrono poco materiale all'agiografia: appena bambina la prima

e poco piú che adolescente la seconda, furono beatificate in virtú della sola violenza subita, e sono infatti ricordate con la dicitura di «martiri della purezza». Maria Goretti è la piú nota. Alla sua fama non fu estraneo il regime fascista, che trovò utile strumentalizzare la sua vicenda per renderla funzionale all'idea di donna modesta, contadina e lavoratrice che propagandava tra i ceti umili delle campagne. La Chiesa dal canto suo ne fece una icona. Se fino a quel momento i martiri erano stati solo coloro che avevano dato la vita per testimoniare la fede in Cristo, da quel momento alle donne veniva data l'inedita possibilità di morire pur di restare inviolate e conservarsi pure per il Regno, a prescindere dalla testimonianza di fede.

La sedicenne di Orgosolo Antonia Mesina fu protagonista di una vicenda di violenza che ricalcò perfettamente quella di Maria Goretti: assalita nel bosco mentre raccoglieva legna, fu uccisa a colpi di pietra dall'assalitore a cui aveva opposto resistenza. Pierina Morosini di anni ne aveva invece ventisei quando subí il tentativo di violenza, e aveva emesso privatamente i voti di povertà, castità e obbedienza. La sua biografia cristiana è molto meno esile di quella delle due fanciulle che l'avevano preceduta nel cammino di martiri della purezza. Il vescovo di Bergamo, la sua diocesi, ci tenne a sottolineare che non era una differenza da poco: «Mentre Maria Goretti è santa perché martire, la nostra Pierina è martire perché santa». L'ultima beatificazione verginale fu quella di Teresa Bracco, una ventenne ligure che fu uccisa da un soldato nazista dopo che lei tentò di resistergli.

A inaugurare la progressiva verginizzazione del modello femminile di santità era stato un vero e proprio *restyling* dell'iconografia mariana. Le immagini che celebravano i nuovi dogmi e i racconti dei veggenti di Lourdes e di

Fatima avevano rinnovato i canoni di raffigurazione tradizionale: niente piú pose naturali o scenette bucoliche per Maria, e niente piú abiti sgargianti o atteggiamenti troppo umanamente realistici. La Madonna del Novecento assunse una posizione via via piú composta e addolorata, stando in piedi su una nube, con gli occhi rivolti al cielo e abbigliata di colori sempre piú tendenti al bianco. Il capo finí coperto da un velo, ma soprattutto sparí il bambino che fino a quel momento Maria aveva stretto in braccio e offerto ai fedeli come un dono: le mani della Vergine Assunta e Immacolata, ormai libere dal compito terreno di madre, potevano finalmente congiungersi in preghiera all'altezza del petto, definendo la stilizzazione dell'idolo che oggi rappresenta l'immagine piú diffusa di Maria di Nazareth.

La mariologia, il potente indirizzo teologico che si occupava del culto e della dottrina su Maria, aveva preteso di mettere la sua figura in una logica concorrenziale rispetto a Gesú, e dominante rispetto alla Chiesa: al papa si chiedeva addirittura la proclamazione di ulteriori dogmi mariani, in particolare quello di Maria Corredentrice e quello di Maria Mediatrice di tutte le grazie. Per attribuire a Maria titoli che non avevano nessun fondamento nella Sacra Scrittura, il papa avrebbe dovuto ricorrere nuovamente alla prerogativa dell'infallibilità di cui già si era servito per proclamare l'Assunzione e l'Immacolata Concezione. Gli si chiedeva di dar ulteriore prova personale della sua devozione alla Madonna. La corsa al dogma mariano assunse cosí le connotazioni psicologiche di un tributo di alta gioielleria offerto dal piú devoto degli ammiratori alla piú bella e nobile delle dame. Nel quotidiano «Nuova Gazzetta del Popolo» del 2 novembre 1950 il vaticanista Benny Lai riferiva di come Pio XII, parlando del dogma dell'Assunzione, avesse usato l'espressione «nuova gemma che adorna da oggi il capo della Madonna».

Fu il Concilio Vaticano II alla fine degli anni Sessanta a mettere un freno a questa deriva idolatrica: a Maria fu dedicato un solo capitolo della costituzione ecclesiale *Lumen Gentium*, nella quale si ricordava che ella era madre, modello, ma anche figlia della Chiesa. Il danno all'immaginario però era diventato irreversibile: l'instaurazione del modello estetico angelicato di Maria aveva strappato definitivamente la ragazza d'Israele dal mondo aspirazionale delle donne normali, privandole dell'unico modello spirituale a cui fino a quel momento, pur con i loro limiti, avevano potuto guardare per cercarsi.

La trasformazione cattolica di Maria in statuina da nicchia l'ha resa umanamente intraducibile, mutandola in una sorta di semidivinità femminile il cui culto si muove dentro binari che piú propriamente spetterebbero allo Spirito Santo. Per esempio il titolo mariano di Consolatrice degli afflitti, uno dei piú amati dalla sensibilità popolare, si sovrappone a quello dello Spirito Santo nella sua funzione di Consolatore, cioè Paràclito: è cosí che lo chiamò Gesú annunciandone agli apostoli la discesa pentecostale, mentre mai si rivolse a sua madre negli stessi termini. Ma lo Spirito Santo era e resta un'entità troppo astratta per poter competere nell'immaginario popolare con il volto materno di Maria. Basterebbe confrontare il numero di chiese dedicate alla Madonna e quelle dedicate allo Spirito per comprendere l'esatta portata dell'imbarazzante squilibrio fino all'argine posto dal Concilio Vaticano II nel 1969. Il vincolo di prudenza che i padri misero alla teologia mariana, riportandola nell'alveo degli studi sulla Chiesa, ebbe però un influsso molto blan-

do sulla devozione popolare cattolica la quale continuò
imperterrita a prodursi in un culto iperbolico e disincar-
nato che avvicinava progressivamente Maria alla condizione celeste di Regina.

Questa devozione sopra le righe rispondeva a due esigenze molto serie: da un lato suppliva alla privazione
di immagini femminili di Dio, e dall'altro riequilibrava
l'idea minacciosa di un Padre sempre piú severo e auto-
ritario, che imponeva il sorgere simbolico di una figura
mediatrice – l'Avvocata nostra della preghiera del *Sal-
ve Regina* – tale da frapporsi tra la giusta ira celeste e la
comprensibile debolezza terrena. Il modello femminile di
Maria, che per tutto il Medioevo e il Rinascimento aveva
prodotto immagini concrete e contemporanee di matrone morbide sedute sui prati o nelle loro cucine, vestite
in tutti i modi e secondo tutte le mode, corpose sante da
marciapiede o raffinate giunoni da salotto, era stato definitivamente schiacciato dal monomodello della Regina
Vergine Assunta in cielo.

Ma quando il rapporto mimetico tra il modello e i suoi
emuli si infrange, la devozione si trasforma in odio e fru-
strazione nei confronti del soggetto diventato ormai irraggiungibile. L'unico destino che spetta a un modello
troppo lontano per essere imitato è essere rigettato, e se
necessario anche dissacrato. Nessun ateo bestemmia rivolgendosi all'idolo: solo il credente può chiedere conto
a Dio di aver rotto il patto di rappresentatività, abbandonando la natura umana nell'abisso del suo limite. Davanti alla progressiva perdita di consistenza della donna
Maria e alla sua stilizzazione in idolo del cristianesimo
cattolico, può assumere un'altra luce anche il saccheg-
gio e la dissacrazione dell'immaginario religioso opera-
ta a partire dal secolo scorso dal cinema, dall'arte, dalla

letteratura, dalla pubblicità e dalla musica pop. Il nome d'arte e le provocazioni di Luisa Veronica Ciccone (da *Like a Virgin* a *Like a prayer*), le visioni cinematografiche di Jean Luc Godard, le associazioni blasfeme dei pubblicitari e gli eccessi dissacratori di molta arte moderna e contemporanea potrebbero non essere altro che tentativi di riportare a un livello di accessibilità, per quanto discutibile sul piano religioso, i modelli mariani e cristologici divenuti ormai irraggiungibili.

IV.
Consigli di bellezza

Sei la piú bella del mondo
Religione per me.
Sei la piú bella del mondo, Raf.

Memorie cattoliche.

La Madonna che dorme nella mia chiesa parrocchiale ha i capelli lunghi e scuri. Sono capelli veri e appartengono a decine di ragazze – oggi settantenni – che in massa negli anni Cinquanta hanno donato le loro chiome nere per far bella l'Assunta. Ha addosso un modesto tesoretto che a periodi regolari viene rubato dai balordi del posto, perché la nostra Madonna è una bonacciona che perdona, non ha certo la fama delle terribili maledizioni che a Napoli fanno da antifurto ai beni immensi di san Gennaro. Gli anelli e le collane sono a volte ex voto (pochi, non è molto miracolosa), ma la maggior parte sono regali spontanei o pegni di fidanzamenti infranti, in numero cosí consistente che ogni dito infila almeno due anelli e molti dei suoi gioielli sono conservati in separata sede.

Poiché la mia zia materna mi aveva confidato che tra i capelli di Maria c'erano anche i suoi, da bambina ero convinta che la statua tutta mi somigliasse, anzi che in virtú di quell'innesto tricologico fossimo in qualche modo diventate parenti. Maria Assunta in Cabras era la mia cugina santa. La notte andavo a letto e mi allungavo sul materasso cercando di imitare la grazia indolente della statua distesa, abbandonando lungo il corpo le mani in modo che avessero le dita un po' distanziate per gli anelli che immaginavo di portare; rilassavo il volto come lei, immaginandomi preda di un sogno paradisiaco. Ero convinta che mentre dormivo venissero gli angeli ai piedi del letto, proprio come li vedevo intorno al suo. Ci sono voluti anni di statue assai meno credibili, di canti improbabili ogni domenica e di dogmi mariani assunti contro ogni evidenza biblica per strapparmi dalla convinzione che Maria di Nazareth potesse essere apparentata con una qualunque donna normale, meno che mai con me. Oggi, al di là dell'effetto fetish di una rappresentazione cosí realistica della Madonna, mi rendo conto che chi progettò quella statua ebbe una grande intuizione pastorale: la sua concretezza fisica era tale che qualunque bambina poteva riconoscersi, obbedendo a una logica di semplicità quasi meccanica: se la Madonna somigliava tanto a una ragazza normale, allora ogni ragazza normale poteva provare a somigliare alla Madonna.

Anziano sarai tu.

Nel 2009 il comune di Torino diffuse una campagna di affissioni indirizzata alle persone anziane ancora attive per stimolarle a impegnarsi a servizio della città attraverso la figura del volontario civico nelle scuole, nei parchi, negli spazi culturali o in aiuto ai vecchi non piú autosufficienti. I manifesti con un primaverile fondo verde proiettavano sui passanti i faccioni ridenti di arzilli signori brizzolati e radiose vecchiette in gran forma che esclamavano: «Anziano sarai tu». La scelta di quella espressione violenta, che associava direttamente la condizione di anzianità a un insulto personale, mi lasciò per giorni a domandarmi come fosse possibile che una pubblica amministrazione sponsorizzasse un'idea di vecchiaia, cioè un tempo naturale della vita di tutti, come condizione di cui doversi vergognare pubblicamente.

L'Italia non è un paese per giovani: è cosí che ci piace dire quando parliamo del precariato, dell'assenza di processi meritocratici o dei cervelli in fuga, ed è senz'altro vero. Ma non è neppure un paese per vecchi, e meno che mai per vecchie. Negli ultimi anni voci di donne come quelle di Loredana Lipperini, Lorella Zanardo, Michela Marzano, Iaia Caputo e altre hanno ripreso a indagare sulla difficoltà di invecchiare serenamente in un mondo in cui la televisione propone solo modelli di eterna giovinezza, in misura prevalente alle donne. Mentre il maschio che invecchia viene socialmente riposizionato attraverso un processo tacito che favorisce la sua transizione dall'area della seduzione sessuale a quella dell'autorevolezza e della saggezza derivate dall'esperienza, la donna che invecchia viene estromessa dal quadro della rappresentazione, con rare eccezioni circoscritte per lo piú al mondo della ricerca scientifica. Quelle di noi che non sono Margherita Hack o Rita Levi Montalcini sanno di trovarsi perennemente in zona rimozione forzata, costrette a specchiarsi in modelli sociali che ripetono di continuo quanto sia sconsigliabile per una donna invecchiare mostrandosi.

Di un'adolescente che giunta ai suoi sedici anni appaia o si comporti come ne avesse dieci si penserebbe che ha un blocco dello sviluppo fisico, cognitivo o relazionale, brutalmente detto «ritardo». I genitori la porterebbero senz'altro da uno specialista. Se invece è una donna di sessant'anni a volerne dimostrare quarantacinque, il suo contesto tenderà a esserne compiaciuto e invidioso. Le amiche diranno che ha fatto un patto con il diavolo o che ha scoperto l'elisir dell'eterna giovinezza. Le piú realiste sussurreranno che non è possibile, che sarà ricorsa a un aiutino. Gli uomini galanti commenteranno che sembra sorella di sua figlia, e magari penseranno che è ancora una bella donna, nonostante non sia piú «cosí giovane». Ma cosí come, verrebbe da chiedersi? Davanti a queste banalità corali cade ogni ipocrisia; in un contesto dove l'unica donna bella è quella giovane e la sola strada per farsi socialmente accettare è restare seduttive a dispetto del tempo, nessuno può stupirsi che mantenere un aspetto giovanile il piú a lungo possibile diventi prioritario. Tanto piú se l'esaltazione della gioventú come passe-partout sociale si accompagna al disprezzo per le donne che dimostrano la loro età reale, dipinte per questo come creature non piú esteticamente sostenibili. Nel parlare comune il sostantivo *vecchia* va a braccetto con i giudizi morali di *isterica* e/o *rincoglionita*. Dire a qualcuna che si comporta come se fosse in menopausa non è una valutazione del suo aspetto, ma la ratifica di uno stato sociale decaduto, frustrato e risentito: la condizione marginale della donna non piú giovane e non piú fertile, quindi inutile.

Ci sono donne che rifiutano di farsi chiamare «nonna» dai loro nipotini, perché le «nonne» sono vecchie per definizione, e le vecchie sono acide, ipercritiche e avvizzite, ma anche vanitose e per questo patetiche. Soprattutto, sono gelose delle giovani. È la sindrome di Grimilde, come l'ha efficacemente definita Loredana Lipperini, quella secondo la quale le donne avanti negli anni avrebbero un conto aperto con tutte quelle che ancora stringono tra le mani il frutto pulsante e tonico della loro freschezza. Un plotone di uomini ben schierati ha pensato che le donne che nel febbraio del 2011 hanno protestato contro la rappresentazione avvilente della figura femminile nel panorama mediatico e politico italiano lo

abbiano fatto solo perché erano brutte, vecchie o mora-
liste, invidiose della bellezza e della libertà di concedersi
che deriverebbe dall'essere «sedute su una fortuna» non
ancora dissipata dal tempo.

La pubblicità in Italia mostra poche donne anziane,
ma quando lo fa, non risparmia loro niente. L'uomo vecchio è saggio e pacificato, oppure è simpatico e vitale. Lo
si capisce mentre degusta il whisky per vedere se le botti
del Tennessee lo hanno profumato per bene. Ci sentiamo
bucolici con lui quando, con complicità virile, regala al
giovane genero una bottiglia del vino che hanno bevuto
insieme al pasto. Ci intenerisce vedergli insegnare al nipo-
tino che l'ottimismo è il profumo della vita, oppure bussa-
re a casa degli studenti universitari per offrire loro vassoi
di ravioli ripieni fatti sapientemente da lui medesimo. La
vecchiaia maschile nelle rappresentazioni pubblicitarie è
dignitosa, serena e rispettabile, l'atto conclusivo di una
vita ormai risolta.

Le donne vecchie degli spot hanno connotazioni ben diverse: se escono, vanno a casa dei figli single (maschi) per
verificare di nascosto che usino l'anticalcare sui sanitari,
ma il piú delle volte non escono affatto; restano sdraiate
inermi su poltrone autoreclinanti, stringendo nella mano
artritica un dispositivo di allarme per chiamare i figli in
soccorso a ogni parvenza di tremito. Se fanno vita sociale, la loro angoscia principale sarà tenere sotto controllo la
vescica debole, o addentare una mela senza lasciarci attac-
cata la dentiera. Oppure avranno le fattezze dell'immar-
cescibile suocera che verifica con malanimo il bucato della
nuora, rivendicando la propria superiorità nell'indicarle il
candeggiante giusto.

Jane Fonda illustra grazie a quale crema «per pelli matu-
re» si potrebbero dimostrare vent'anni di meno, e a nessu-

no sembra strano che non esistano spot dove Sean Connery invita i suoi coetanei ottantenni a fare altrettanto. È in corso un processo di creazione di un target maschile piú attento all'aspetto fisico, con prodotti appositi anche *anti-age*, ma oggi per gli uomini il messaggio fa ancora leva sul linguaggio della seduzione, non sulla corsa alla sostenibilità estetica. L'uomo negli spot non fa manutenzione di sé come atto di sopravvivenza sociale. Nessun uomo nel mondo dei pubblicitari ha mai problemi di vescica. O di intestino pigro. O di prurito intimo. Ma neanche di emorroidi o di diarrea: sono sempre donne le protagoniste dei messaggi pubblicitari collegati alle disfunzioni corporali, e spesso sono donne non piú giovani, il cui decadimento fisico è un appetibile terreno di marketing. L'assalto subliminale è tale che anche quella tra noi piú attrezzata a difendersi impara che sentirsi «giovane dentro» è il podio per le seconde classificate, quelle che hanno perso l'occasione di continuare ad apparire giovani fuori.

I numeri della chirurgia estetica parlano chiaro: crisi o non crisi, in Italia le richieste di ritocco sono in crescita costante di anno in anno, e l'aumento riguarda soprattutto le ragazze in giovanissima età e le loro nonne, le over 65. Nei programmi televisivi è ormai raro vedere una donna che non porti sul volto le tracce omologanti della mano di un chirurgo plastico; ma sempre piú spesso la donna «rifatta» si incontra in fila alle poste, in aereo sul sedile accanto al nostro o alla riunione scolastica con i genitori.

La compulsione all'accanimento anagrafico non ha nulla a che vedere con l'estetica. Basterebbe osservare come è cambiato il linguaggio pubblicitario delle creme femminili per capire che la direzione in cui sta andando la teoria della giovinezza a tutti i costi è tutt'altro che cosmetica: è cosmologica. La radice greca del verbo *kosmèo*, abbellisco, metto in ordine, è la stessa di *kosmòs*, la realtà sottratta al *kàos*, e richiama il concetto filosofico di ordine, di corrispondenza del mondo a un disegno sensato; allo stesso tempo evoca l'idea di bellezza come armonia, la meravigliosa certezza che tutto si trovi proprio dove era previsto. Questa logica non ha bisogno di far sentire brutta la donna: le basta che si senta «fuori luogo». Non è casuale che l'antagonismo dei termini di bellezza e bruttezza vada di pari passo con quello di ordine e disordine, e infatti è comune che una donna insoddisfatta del proprio aspetto fisico affermi di non sentirsi «a posto».

La cosmesi cosí intesa si rivela non tanto la scienza del bello, quanto quella dell'ordine da cui la bellezza discende: utilizzando il cosmetico la donna non doma le rughe, ma il caos universale. Sottrarsi alla religione della cosmetica significa rifiutarsi di impedire la deriva distruttiva dell'esistente, farsi colpevolmente complici della sua entropia. Ecco perché nell'arco di vent'anni si è passati dall'invito alla manutenzione esteriore per apparire piú piacenti (questo preparato rende la pelle piú morbida e levigata, piacevole al tatto, e simili) a quello piú ambiguo della «cura», che rimanda direttamente a un immaginario patologico. I preparati per il viso non sono piú semplicemente nutrienti, ma rigeneranti, rimpolpanti, ristrutturanti, tensori. Sono creme assertive, fanno cose grandi, operano contro eventi descritti come catastrofici: «contrastano il cedimento cutaneo», «nutrono i tessuti nelle aree fragili del viso» e «proteggono dalle aggressioni esterne», funzioni piú da ronda poliziesca o da architetto di interni che da crema per il viso.

Il terrorismo estetico alimenta nelle donne anche la paura che trascurare l'aspetto fisico possa significare non fare abbastanza per tutelare la propria salute. Non importa se questo significa accettare implicitamente l'idea che la vecchiaia sia una malattia e la bruttezza una colpa. «Prenditi cura di te», recita lo spot di una famosa casa cosmetica francese, manco avessimo un tumore. «Perché io valgo», le fa eco da anni lo slogan di un altro colosso dei prodotti cosmetici, insinuando implicitamente l'idea che chi non ne fa uso non vale niente. Cura e valore, ecco le nuove parole d'ordine che possono garantire l'accettabilità sociale della donna. Non è un caso se a quelle tra noi che sono poco interessate a nascondere i propri anni o i propri cosiddetti difetti fisici vengano riservati giudizi come «non si curano» e «non si valorizzano», espressioni che alludono anche a una condizione di oggettiva colpevolezza di chi eventualmente pensasse di non sottostare al diktat nazista del gel contorno occhi. Non usare le nuove armi cosmetiche è pigrizia, sciatteria, omissione di soccorso.

La sfida rappresentata dall'invecchiamento non è difendersi dal pericolo imminente dei misteriosi radicali liberi, ma quella ben piú concreta di ritardare al massimo il momento in cui si verrà espulse dalla rappresentazione sociale e si smetterà di esistere come figure di un immaginario rispettato e rispettabile. Invece di accrescere l'autorevolezza, l'età avanzata colloca infatti le donne in una posizione di ulteriore fragilità, perché all'abbassamento del parametro estetico si accompagna anche lo svilimento pubblico della capacità intellettuale, qualora fosse stata prima riconosciuta. Ricordo un episodio talmente macroscopico da essere esemplare: quando il governo Prodi nel 2007 si reggeva su una maggioranza cosí debole da aver bisogno dei voti dei senatori a vita, i giornali di destra ordirono una campagna mediatica contro l'anziana senatrice e premio Nobel Rita Levi Montalcini, facendola diventare bersaglio del brutale sarcasmo di chi auspicava la fine della «dittatura dei pannoloni» (copyright Vittorio Feltri).

Perché io valgo, certo, ma solo se accetto di rispettare le regole del gioco che cercano di impormi, altrimenti la perdita di valore è istantanea. Vecchio, secondo questa lettura, non vuol dire solo non piú giovane, ma anche con un piede nella fossa, smemorato, disinformato, senza prospettive, rimbecillito, inutile. È vero per tutti i vecchi, maschi e femmine, ma per le donne ha una connotazione peggiorativa piú feroce, specialmente se alla mancata giovinezza si accompagna un aspetto lontano dai canoni stereotipati della bellezza femminile televisiva, a cui gli uomini vecchi o giovani non sono ovviamente obbligati a conformarsi.

«Lei è piú bella che intelligente», disse nel 2009 all'onorevole Rosy Bindi l'allora premier Silvio Berlusconi, come se la denigrazione estetica dovesse depotenziare il contenuto della dura critica che la parlamentare gli aveva appena rivolto. «Non sono una donna a sua disposizione», gli rispose dignitosamente Rosy Bindi, ma l'ammirazione che provai per la sua forza non poté cancellare in me la percezione di un'altra realtà: quella di un paese intero, e non certo di un uomo solo, dove le donne sono pensate come soggetti a disposizione di un colossale immaginario collettivo che impone loro regole spietate, a cominciare dall'obbligo di restare eternamente giovani e belle, o di diventarlo.

L'assenza di un immaginario di vecchiaia e di morte che risulti sereno e dignitoso genera automaticamente processi di negazione. Se nell'avanzare dell'età la prospettiva per le donne è quella di perdere lo status appagante di seduttrici senza però guadagnare quello rispettabile di figure sapienti dotate di intelligenza critica, affidarsi a un chirurgo per farsi devastare i connotati prima che sia troppo tardi potrebbe sembrare persino una scelta obbligata.

Ne dimostri di meno.

L'equivalenza tra bellezza esteriore, giovinezza e perfezione morale non l'hanno inventata a Hollywood, né l'hanno brevettata a Parigi. La sintesi di ordine e bellezza contenuta nei concetti di *kosmòs* e *kosmèo* si rideclinava nella cultura greca con l'espressione *kalòs kai agathòs* che associava al bell'aspetto il possesso di doti interiori innate: ciò che era apprezzabile esteticamente doveva essere anche virtuoso, buono, forte d'animo, generoso ed eroico. La letteratura e l'arte hanno fatto propria questa convinzione, generando i capolavori immortali in cui si radica il senso del bello e del buono nel mondo occidentale: cosí, anche quando i canoni sono mutati, l'associazione tra le due condizioni è rimasta. Oscar Wilde l'aveva presente quando scrisse il suo *Ritratto di Dorian Gray*, individuando un principio di causa-effetto nel rapporto tra l'immoralità del protagonista e il progressivo imbruttimento del suo doppio su tela. Questo millenario percorso simbolico ci ha resi nel tempo tutti razzisti verso le persone non canonicamente belle, con punte di eccesso che, attraverso le possibilità offerte dalle nuove tecniche di fecondazione assistita, ci hanno offerto la possibilità di guardare dritti nell'abisso della tentazione eugenetica.

Ciascuno di noi desidera essere bello, perché intimamente è convinto che questo voglia dire anche essere una persona migliore dal punto di vista morale, o almeno che

gli altri siano disposti a crederlo. Per lo stesso motivo ciascuno spera di innamorarsi di partner di aspetto gradevo-
le e si augura che i propri figli nascano belli oltreché sani,
perché l'aspetto fisico facilita l'accettazione sociale. Naturalmente si tratta di un discorso inconscio che nulla ha
di razionale e dichiarabile, e anzi può essere smentito da
miriadi di prove contrarie. Siamo circondanti da uomini
piacenti quanto cialtroni, e da donne che sono piene di
virtú morali anche quando niente nel loro aspetto fisico
lo lascerebbe presagire, ma è troppo lunga la tradizione
culturale che collega etica ed estetica perché ci si possa
sottrarre del tutto alla tentazione di giudicare qualcuno a
partire dal suo aspetto fisico. E del resto, ancora alla fine
dell'Ottocento, il mai abbastanza criticato Cesare Lom-
broso pretendeva di dare base scientifica al principio greco
del *kalòs kai agathòs*, cercando nella fisiognomica le prove
di una inesistente predisposizione di questo o quel gruppo
etnico alla criminalità.

La Chiesa avrebbe tutti gli strumenti per assumere una
posizione controcorrente nei confronti della visione distruttiva della vecchiaia, della sopravvalutazione della gioventú e
dell'idolatria della bellezza. L'iconografia di Dio Padre come vegliardo con la barba bianca è un antidoto potente alla
tentazione di rottamare i vecchi. L'anzianità nella gerarchia
cattolica non solo è la norma, ma è considerata indicatore
di saggezza ed equilibrio: non si può diventare vescovi prima di essere uomini fatti, cioè aver compiuto i trentacinque
anni (fa pensare che in Italia, per decisione della Cei, ce ne
vogliano almeno quaranta); si diventa cardinali solo dopo
essere diventati vescovi, ed è prassi che il papa venga scelto
abbondantemente oltre questa soglia minima, tanto che tra
i dieci pontefici del secolo scorso solo Karol Wojtyła aveva meno di sessant'anni al momento dell'elezione. Gli an-

ni del vigore per il papa polacco sono stati molti e incisivi, ma non lo sono stati di meno quelli della vecchiaia avanzata, durante i quali Giovanni Paolo II consacrò di sé l'icona sofferente di un *alter Christus*, un vecchio malato ma dignitoso che con una luce di determinazione negli occhi glauchi si appoggiava al pastorale davanti alle folle festanti. Il modello del patriarca, da Noè ad Abramo, da Giacobbe a Giovanni Paolo II, è collaudato e vincente nell'immaginario religioso popolare. La Bibbia è piena di vocazioni improbabili – donne sterili, giovani riottosi, ragazzi imberbi, profeti balbuzienti – ma uno dei cliché piú presenti è l'episodio in cui un uomo ormai avanti in età riceve la missione divina proprio quando non chiede piú nulla alla vita. È dal gesto di fede del vecchio Abramo che il Signore darà vita a un'insperata discendenza, tanto che le tre religioni monoteiste si considerano tutte frutto del seme spirituale di quel vecchio patriarca.

Tra papi anziani e malati, santi vegliardi, canuti dottori della Chiesa e vecchi profeti ai quali l'incipiente cataratta non ha mai impedito di leggere bene il presente, si può affermare che i cristiani abbiano molti modelli validi e positivi di vecchiaia a cui desiderare di tendere, a dispetto delle campagne istituzionali antianziano e degli spot che mirano a negare che la vecchiaia sia una fase naturale della vita umana. Le donne cristiane purtroppo di esempi di vecchiaia venerabile ne hanno molti meno. Fatta salva l'icona di Madre Teresa di Calcutta, di cui abbiamo già visto quale sia il compito esemplificativo nell'economia simbolica del cattolicesimo, nessuna donna nella Chiesa avverte per se stessa la possibilità di invecchiare ispirando autorevolezza.

Dalla valorizzazione spirituale della terza età come tempo della saggezza e della contemplazione piú acuta sono

escluse le proiezioni femminili. Certo, in chiesa ci vanno
ancora e soprattutto le donne. Sono loro a spiegare il catechismo ai ragazzi della cresima, a leggere il salmo respon-
soriale durante la messa domenicale e a fare eco in prima
fila alle preghiere che giungono dall'altare. Sono sempre le
donne a pulire le piccole chiese di provincia, a realizzare
con amore le composizioni floreali che ornano le liturgie
e a portare la comunione alla maggior parte degli anziani
non piú autosufficienti. Praticamente tutta l'attività pastorale ordinaria si regge sul servizio gratuito e silenzioso
del mondo femminile credente. Ma il sacerdozio maschile
e il conseguente ordine gerarchico restano comunque l'unico luogo dell'elaborazione e della custodia dottrinale, della
guida pastorale e della rappresentazione pubblica e mediatica del sistema Chiesa.

L'impianto ecclesiale rimane esclusivo appannaggio dei
vecchi maschi nei quali si incarna all'ennesima potenza il
principio petrino di von Balthasar. Alle donne non resta
dunque che Maria, ma anche la Madre di Dio si rivela
poco funzionale a sostenere un'immagine spiritualmente
accettabile della vecchiaia femminile. Non esistono icone
della Madonna vecchia. Maria è perennemente vergine,
quindi perennemente ragazza. Il suo essere madre di Gesú
non intacca la dimensione di purezza assoluta che solo la
piú fresca delle gioventú, età incorrotta per antonomasia,
sembra adeguata a rappresentare. Maria è senza peccato
originale, e dunque la si immagina naturalmente preser-
vata dalle conseguenze della caduta che attanagliano tutti
gli altri, costretti a vedere su se stessi i segni della lenta
morte rappresentata dal trascorrere del tempo. Per questo
motivo la *Pietà* di Michelangelo ci mostra un uomo defunto di trentatre anni in braccio a sua madre cinquantenne
che ne dimostra surrealmente sedici: il genio dell'artista

l'ha resa icona immutabile nell'istante esatto del divino concepimento, lasciandola per sempre *figlia del suo Figlio* anche nell'aspetto fisico. Ma il lifting teologico, per quanto mirabile, non è di nessun conforto spirituale alle donne che invecchiano avendo come unico riferimento lo specchio impietoso che le riflette.

Gesú Cristo Superstar.

Quando a sedici anni vidi per la prima volta una icona russa, pensai con un certo sprezzo che gli ortodossi erano molto indietro nella tecnica artistica. La figura mi si presentava bidimensionale, senza prospettiva, apparentemente sproporzionata e priva di quel realismo a cui fino a quel momento avevo associato la maestria figurativa. In seguito mi fu spiegato che la raffigurazione nell'arte sacra, non solo in quella ortodossa, per molto tempo non è stata considerata disegno, ma scrittura. La pittura di soggetti religiosi non era un atto decorativo, ma un discorso teologico: l'icona non ha in nessun modo la pretesa di rappresentare la realtà di quel che mostra, ma si serve di segni, colori, pose e composizioni per comunicare concetti di fede. Questo mirabile vocabolario espressivo è stato il nervo portante di tutta la produzione artistica a soggetto religioso della cristianità. Per questo quando si guardano raffigurazioni di Cristo, di Maria o dei santi occorre sempre chiedersi quale sia l'etica sottesa dietro la loro estetica, perché nemmeno il colore degli occhi è un dettaglio casuale.

La nostra idea di Cristo è da secoli codificata in maniera stabile. L'icona prevalente si colloca in un punto a metà strada tra l'uomo misterioso della Sacra Sindone e il Gesú di Nazareth di Franco Zeffirelli. Ogni tanto su qualche

immaginetta devozionale si può incrociare la variante me-
lensa di un Gesú boccoluto e biondo, con l'occhio azzurro
a mezz'asta in una docile espressione da cocker, ma nelle
chiese la rappresentazione dominante è quella virilmente
dolente, tutt'al piú ieratica, del Cristo bruno e ascetico.
Il capello lungo resta la pettinatura d'ordinanza, al punto che non c'è uomo con un filo di barba e la chioma alle
spalle che non si sia sentito dire almeno una volta «sembri Gesú»; anche l'abbigliamento è modulato su due sole rappresentazioni: o seminudo con pezzuola intorno ai
fianchi, o vestito di lunga tunica.

I pochi artisti che hanno cercato di rappresentare Cristo
in abiti contemporanei non hanno mai convinto né i loro
mecenati né la fantasia popolare, evidentemente persua-
sa che nemmeno il mistero dell'incarnazione poteva aver
modificato fino in fondo la sostanziale alterità del Figlio
di Dio rispetto all'umano. Pur essendo anche uomo, Cristo resta infatti sempre divino, con una gradazione propria di trascendenza che le immagini non possono eludere.
Perfetta in questa logica è la raffigurazione che ne viene
fatta nel musical di Andrew Lloyd Webber *Jesus Christ
Superstar* dove, mentre tutti gli attori hanno un abbigliamento contemporaneo in stile *flower power*, Gesú appare
in tunica, come catapultato in mezzo a loro direttamente
da un'altra epoca.

Una volta superata la triste parentesi iconoclasta, la Chiesa bizantina è invece rimasta talmente fedele all'idea di non
rappresentabilità della santità di Cristo da rifiutare ogni
realismo, anche nelle proporzioni: in molte icone orientali
Gesú appare altissimo tra apostoli minuscoli, lillipuziani, a
significare la sua irraggiungibile statura spirituale. Questo
canone a un certo punto ha smesso di essere condiviso tra
le Chiese d'Oriente e Occidente, dove si è invece preferito

rappresentare le diverse sfaccettature della santità di Cristo attraverso l'aggiunta di elementi ulteriori. Se Gesú appare con la pecora sulle spalle, è la figura misericordiosa del Buon Pastore. Se ha il libro in mano è il saggio Maestro che dice: «Io sono la via, la verità e la vita». Se è assiso in trono è il Cristo giudicante della fine dei tempi. Se ha la bandiera con la croce rossa in campo bianco è il Risorto radioso. In particolari momenti storici hanno avuto qualche fortuna altre rappresentazioni, per esempio quella molto pomposa di Cristo Re dell'Universo, una festività costituita nel 1925 agli esordi del ventennio fascista, quando affermare la regalità di Cristo aveva anche il valore politico di suggerire al regime nascente che l'unica autorità a cui il cristiano doveva obbedienza non era quella che si affacciava su piazza Venezia. L'ampolloso linguaggio imperiale trovò eco anche nei canti popolari cattolici, pieni di riferimenti militareschi, talmente vicini al linguaggio fascista che spesso non se ne distingueva la matrice. È di quegli anni anche l'inno della Gioventú cattolica intitolato *Bianco Padre*, dedicato al papa e composto musicalmente da Mario Ruccione, non a caso lo stesso autore della fascistissima *Faccetta Nera*:

> Bianco Padre che da Roma,
> ci sei meta luce e guida
> in ciascun di noi confida,
> su noi tutti puoi contar.
> Siamo arditi della fede,
> Siamo araldi della croce,
> al tuo cenno alla tua voce,
> un esercito all'altar.

Ma la popolarità di questo immaginario regale si è esaurita col declino dei suoi antagonisti e con lo svanire del potere temporale dei papi: negli ultimi ottant'anni il Cristo con

corona e scettro è tornato ad abbigliarsi semplicemente di
tunica, cristallizzando il mite e assertivo maestro spirituale a
cui tanto successo devono le produzioni di fiction televisive.

Miss Regno dei Cieli.

La rappresentazione della Madonna ha avuto un anda-
mento decisamente piú turbinoso, anche perché le caratteristiche di Maria da offrire alla venerazione dei fedeli
non erano sin dall'inizio cosí chiare come quelle del Figlio
e hanno ricoperto un'importanza diversa nel corso della
storia del cristianesimo. La venerazione piú antica riguarda
l'essere madre di Dio, che imponeva di raffigurarla met-
tendole in braccio l'inaudita riduzione del Cristo a bambino. Nei primi tempi dell'arte cristiana la soluzione trovata
per non sminuire simbolicamente la statura spirituale del
Salvatore fu quella di far tenere in braccio a Maria una
sorta di bambino mistico, una creatura che fosse minuta
solo nelle proporzioni, ma raffigurata con una tale ierati-
cità da dare l'impressione inquietante di trovarsi dinanzi
a un adulto miniaturizzato. Il Cristo bambino di queste
prime rappresentazioni non è un frugoletto che ispira tenerezza, ma un destabilizzante piccolo uomo che regge il
mondo nella mano. La donna che lo tiene in braccio non
lo allatta né vezzeggia, ma lo indica come si indicherebbe
la strada maestra, esaurendo in quel gesto tutta la propria
funzione teologica: Maria Madre di Dio è colei che indica il Cristo Via.

Man mano che la divinità di Gesú smetteva di essere messa in discussione dagli eretici, la Chiesa si occupò
del problema opposto: affermare la verità della sua Incarnazione. Già san Paolo aveva capito bene che il cor-

po umanissimo di Maria era la prova con la quale si poteva testimoniare l'impensabile incrocio tra la divinità e l'umano; i pittori cristiani, in obbedienza all'espressione paolina «nato da donna», cominciarono cosí a raffigurare Maria mentre teneva in braccio un pargolo indifeso e tenero, icona della debolezza divina fatta uomo, indiscutibilmente di carne e sangue, spesso attaccato al seno o a un dito della madre.

Il realismo iconografico, che prima era stato rifiutato per non minimizzare la divinità di Cristo, diventava utile a provare la verità della sua natura piú fragile, quella umana. In entrambi i casi il canone estetico con cui veniva rappresentata Maria era del tutto funzionale, e diceva molte piú cose su Cristo di quanto non ne dicesse di lei.

L'iconografia mariana, per quanto funzionale, non poteva non proiettarsi prepotentemente sull'immaginario comune; si può dire che per secoli Maria sia stata l'unica stella capace di dettare uno stile alle donne cristiane. Il primo dato certo di cui tenere conto era che la Madre di Dio è bellissima. Nessuno ce ne ha rimandato l'immagine effettiva e il Vangelo non ci dice una parola sul suo aspetto fisico, ma la convinzione popolare si è spontaneamente attenuta al principio del *kalòs kai agathòs*: una creatura di tale perfezione morale non poteva che essere perfetta anche fisicamente: in lei tutto è ordinato e la cosmesi non le occorre, dato che è Dio stesso il suo estetista. Purtroppo però i canoni della bellezza classica greco-romana non andavano bene per raffigurare la Madre di Dio, la quale – pur essendo di certo bella quanto Venere stessa – non si poteva raffigurare attraverso il filtro ambiguo della seduzione. Gli artisti, con poche eccezioni, si attennero quindi al canone che negava a Maria il fascino della maliarda, nonostante potesse rivendicarlo piú di tutte le *femmes fa-*

tales della storia, avendo sedotto lo Spirito stesso di Dio. Affinché fosse chiaro che il Signore aveva scelto Maria per ben altre doti che non la sua avvenenza fisica, la tradizione iconografica, pur nelle sue mutazioni storiche, in linea di massima si adeguò. A partire dal IV secolo d. C., quando il cristianesimo uscí dalla clandestinità e poté praticare il proprio culto alla luce del sole, venne codificato anche il primo ciclo di feste mariane e si diffuse una ricca iconografia della Madonna, di Cristo e dei santi.

La Chiesa istituzionale in un primo momento tentennò sulla legittimità dell'uso delle immagini, da un lato influenzata dal divieto ebraico di riprodurre la figura umana e dall'altro attratta dall'estetica pagana, di segno diametralmente opposto. Una volta abbandonate le remore iconoclaste, la religione cristiana si serví copiosamente delle immagini per diffondersi e stabilire il proprio culto, finendo per comprendere la loro importanza nell'evangelizzazione di popoli che con la scrittura avevano scarsissima o nessuna confidenza. Da quel momento in poi l'iconografia per la Chiesa assunse la funzione che oggi ha per un'azienda la pubblicità del suo marchio: far conoscere la nuova realtà, invitare ad accostarsi a essa e infine assumerla come propria.

San Basilio Magno, che nel IV secolo era il vescovo di Cesarea, fu il primo a capire la potenzialità di marketing delle icone e divenne il massimo ideologo dell'uso delle immagini nell'apostolato e nella catechesi, convinto com'era che «la pittura deve essere per l'occhio ciò che la parola è per l'orecchio: istruzione, esortazione, incoraggiamento». A parte Gesú Cristo, nessuna «offerta spirituale» è mai stata promossa dalla Chiesa con altrettanta costanza di Maria di Nazareth: per tutti i secoli successivi non c'è stato volto di donna che sia mai stato ritratto con tanta amorosa frequenza. Anche per questo vale la pena di domandarsi a quale esigenza di «istruzione, esortazione e incoraggiamento» fossero ispirati i criteri di raffigurazione che hanno attraversato la storia per far giungere fino a noi i suoi tratti.

L'Immacolata Confusione.

Tota pulchra es Maria
et macula originalis non est in te.

Il 27 settembre del 2009 Radio radicale trasmise una conversazione pubblica tra Marco Pannella del Partito radicale, storico promotore delle maggiori battaglie civili italiane, e il giornalista conservatore Giuliano Ferrara, ex ministro del primo governo Berlusconi. I due parlarono anche del controverso tema della fecondazione eterologa, condividendo un interessante quanto diffuso equivoco teologico. Marco Pannella disse:

> Il carattere profetico del cattolicesimo organizzato, lo trovo – in modo terrorizzante – inesistente. Io ti devo confessare: ma è possibile che non viene in mente, a coloro che credono in Gesú Cristo e via dicendo, che quella vicenda dell'Immacolata Concezione eterologa attraverso l'amore di Gesú non sia una profezia, quella per la quale si passa dal concepimento animale a quello per il quale l'amore è concepire?

Confondeva come tanti il dogma dell'Immacolata Concezione di Maria, cioè l'assenza in lei della macchia del peccato originale di Adamo ed Eva, con quello della sua perpetua verginità, intesa come la generazione di Gesú senza aver avuto rapporti sessuali con Giuseppe. Da questa gigantesca confusione Pannella credeva di poter trarre un punto a favore della fecondazione eterologa, e si domandava come mai quel «dogma» non venisse interpretato in maniera profetica dal «cattolicesimo organizzato» a difesa della possibilità di concepire servendosi di un donatore o di una donatrice estranea alla coppia sterile, figure che nella sua ricostruzione avrebbero assunto la funzione che nel Vangelo era stata svolta dallo Spirito Santo. Giuliano Ferrara, capofila degli atei devoti e al contempo paladino dei libertini, non intervenne per correggerlo, benché Pannella ripetesse piú volte il macroscopico fraintendimento. Non fu per eccesso di buona educazione: Ferrara condivideva il medesimo equivoco. In un suo editoriale sul settimanale «Panorama» del 7 marzo 2001 affermava infatti lo stesso concetto, questa volta per difendere la famiglia tradizionale:

> Il bambinello, i bambini, la maternità immacolata, la paternità, gli animali, il calore, i doni, l'unità di sentimento e destino della cellula primaria della società escludono dalla famiglia la tentazione, il peccato, l'ombra del male.

«Immacolata» per Ferrara non è dunque la natura intonsa dal peccato originale di Maria, ma la sua maternità, perché frutto di un mistero della fede che ha miracolosamente eluso le leggi del concepimento carnale. L'associazione mentale che produce l'equivoco è evidente: il sesso è peccaminoso e sporco, e Maria è Immacolata proprio perché non ha mai fatto sesso. Per l'ateo e per l'ateo devoto non sembra esserci niente di piú convincente. Maria Immacolata incarna nel loro immaginario un ideale femminile impossibile quanto suggestivo: una donna che genera da sé, senza bisogno di abbassarsi al letto di nessuno. L'equivoco di Pannella e Ferrara ha un doppio fondo: non si limita a scambiare l'esenzione di Maria dalla colpa di Adamo ed Eva con la maternità virginale, ma attribuisce alla sua verginità una connotazione morale, quasi fosse una donna migliore in virtú del fatto di essere rimasta illibata prima, durante e dopo il parto. In realtà la dottrina cattolica è molto meno sessuofobica: il dogma della verginità non sottintende che Maria sia piú stimabile in quanto vergine. La garanzia dogmatica che Maria e Giuseppe non abbiano mai avuto rapporti sessuali è servita ai primi cristiani per fondare la certezza che Gesú fosse figlio di Dio e non di un falegname di Nazareth. È pur vero che lungo i secoli il dato fisico della verginità ha tentato di trasformarsi in un dato etico, ma fa sorridere che a cadere oggi nella trappola moralista siano un campione della libertà sessuale come Pannella e un uomo come Ferrara, paladino antirelativista, ma anche condottiero di battaglie libertine al grido di «in mutande, ma vivi».

Un altro liberalissimo *opinion maker*, il critico d'arte Vittorio Sgarbi, mostrò la medesima convinzione teologica dalle pagine del quotidiano «Il Giornale» del 6 gennaio 2010 quando, riferendosi al giudice Giancarlo Caselli, affermò di essersi trovato «nella piena convinzione della naturale innocenza di Caselli e della sua immacolata costituzione» e pertanto di aver «osato affermare che egli è come la Madonna. È perennemente vergine». Anche in questo caso l'errata associazione tra l'essere immacolati e l'essere vergini appare scontata. Ha avuto piú fantasia l'anonimo autore della voce di Wikipedia dedicata ai santi Anna e Gioacchino, genitori della Madonna, dove si legge che non meglio specificati autori medievali vedrebbero «nel loro casto bacio il momento dell'Immacolata Concezione di Maria». Quindi questa volta a essere concepita senza rapporto sessuale sarebbe stata nientemeno che Maria.

È sin troppo banale supporre che l'equivalenza tra immacolata concezione e verginità sia frutto di una formazione sessuofobica, che in un contesto culturalmente cattolico ci riguarda tutti. È importante però considerare come l'equivoco, tutt'altro che raro, colpisca soprattutto quei pensatori che amano sentirsi definire «atei devoti». Il loro fraintendimento è piú significativo sul piano culturale, perché l'adesione alle posizioni della Chiesa non si basa su una professione di fede, ma su pretese ragioni di appartenenza e buon senso, grazie alle quali i nuovi teocon possono sostenere alcuni punti della politica dell'istituzione Chiesa senza compromettersi con la sua matrice spirituale. Come ha fatto notare Sergio Luzzatto nel *Crocifisso di Stato*, si tratta della stessa posizione che nei confronti del Vaticano tennero anche Curzio Malaparte e Benito Mussolini che non a caso amava ripetere: «Sono cattolico e anticristiano». Gli atei devoti, *maîtres à penser* della politica conservatrice italiana, sono la dimostrazione che una cultura cattolica ridotta e utilizzata come garanzia di pace sociale ha influssi che vanno ben oltre il pio recinto delle sacrestie nazionali, e che indagarne gli equivoci è tempo tutt'altro che perso.

È probabile che nella trasmissione della falsa equivalenza teologica tra purezza dell'anima e verginità abbia avuto una funzione strutturale l'iconografia popolare degli ultimi centocinquant'anni, nella quale il dogma dell'Immacolata Concezione viene tradotto per mezzo di statue, dipinti e imminette devozionali che riportano Maria in atteggiamenti rigidamente pudichi, vestita di colori tendenti al bianco e all'azzurro pastello (evocativo della grazia celeste), con le forme del corpo appena accennate e il capo coperto. In mano tiene spesso un giglio candido, come enfasi simbolica sulla sua verginità. Le poche varianti moderne sono state spazzate via dalla popolarità planetaria dell'icona della Madonna di Lourdes che nel 1858, a soli quattro anni dalla proclamazione del dogma, apparve alla piccola Bernadette dicendo:

«Io sono l'Immacolata Concezione». Non fu da meno l'immagine molto simile della Madonna di Fatima che nelle apparizioni si presentava ai veggenti parlando del suo «Cuore Immacolato». La rappresentazione angelicata di Maria costituisce la radicalizzazione di una sola lettura della straordinaria complessità della sua figura, e offre alle donne che la pregano un modello – estetico e di conseguenza anche etico – impoverito e fuorviante che non è stato sempre uguale, anzi ha subito nel tempo molte evoluzioni. L'iconografia mariana ha obbedito per secoli a canoni comunque precisi, che però contemplavano un numero di varianti piuttosto ampio.

Le icone piú antiche e venerate della cristianità – d'Oriente e d'Occidente – hanno raffigurato la verginità di Maria come dato teologico, piú che come condizione di superiorità morale, ricorrendo a un espediente simbolico: tre stelle ricamate sul manto, due simmetriche sulle spalle e una sul capo. Il bianco non faceva parte della tavolozza di colori delle rappresentazioni di Maria. Le icone mariane raffigurano Madri di Dio dalla femminilità monumentale, abbigliate di tessuti dai colori vari e vivaci, spesso adorne di gemme e con le forme tutt'altro che celate.

Nella chiesa della Madonna delle Grazie in Roma è custodita la famosa e omonima icona che raffigura la Madre di Dio con il seno scoperto, dipinta nell'atteggiamento di allattare il piccolo Gesú. L'icona è riconducibile a uno specifico filone di rappresentazione mariana che si chiama *lactans*, ovvero «che allatta», e prevede come canone proprio l'esibizione di un seno nudo nell'atto di nutrire il bambino. Inimmaginabile oggi una tale libertà espressiva: l'autore che osasse prendersi una simile confidenza con il corpo della Santa Vergine sarebbe tacciato di essere irrispettoso e blasfemo. Viviamo tempi in cui il seno nudo

della Verità di Giambattista Tiepolo viene fatto velare da
un pudico Silvio Berlusconi, affinché non lo si veda in tv
alle spalle dei ministri durante le conferenze stampa istituzionali. Tempi nei quali i piissimi Giovani industriali per
non imbarazzare il cardinal Bagnasco in visita sbianchet-
tano i genitali dell'uomo di Leonardo che faceva da logo
al loro convegno annuale.

Anche nella pittura meno legata ai rigidi canoni dell'iconografia tradizionale rispetto al corpo di Maria ci si muove-
va con sbalorditiva confidenzialità. Nel 1436 il fiammingo
Jan van Eyck, con ben poco teologico realismo, dipinse una
Madre di Dio allattante non molto diversa dall'icona della
Madonna delle Grazie, sia per esuberanza cromatica che
per opulenza di forme. La *Madonna dei pellegrini* dipinta
da Caravaggio tra il 1604 e il 1606 e conservata nella chiesa di Sant'Agostino in Roma, pur non mostrando il seno,
rimanda nella posa a una suggestiva carnalità, esaltata dai
particolari delle gambe incrociate che lasciano intrave-
dere la forma del ginocchio, dai piedi nudi e sulle punte,
le spalle scoperte e l'ampio scollo della veste, il sontuoso
panneggio dell'abito rosso e anche la presa piena, morbi-
damente realistica, sulle carni soffici del figlioletto nudo.

Gli studi iconografici rivelano la diffusione di migliaia
di immagini simili nella cristianità almeno fino alla Con-
troriforma. Si imparano molte cose sull'evoluzione della
teologia mariana mettendo a confronto la matronale femminilità di quelle rappresentazioni con l'esangue Madon-
nina di Lourdes del 1858, assai piú simile nell'aspetto a
una stilizzazione artistica che a una donna normale a cui
si possa aspirare di somigliare. C'è stato un tempo nella
Chiesa in cui la Madonna poteva venire raffigurata anche
con abiti contemporanei, in cui le si potevano mettere in-
dosso le stesse vesti che portavano le nobili mogli dei ricchi

committenti che il piú delle volte ordinavano i quadri per arredare le loro dimore. Immaginare oggi Maria abbigliata in un sobrio abito da sera o in una veste casalinga come jeans e camicia sembra blasfemia, ma era esattamente ciò che gli artisti si sono presi la confidenza di realizzare fino al XIX secolo, interpretando una teologia capace di offrire alle donne cristiane un modello raggiungibile, senza che questo intaccasse minimamente la santità assoluta di Maria.

Bella, bionda e dice sempre sí.

Lorella Zanardo, autrice del documentario *Il corpo delle donne* e signora non certo facile da intimidire, in un incontro pubblico una volta raccontò di come avesse misurato sulla sua stessa pelle la strutturale resistenza psicologica delle donne italiane a dire di *no*. Riferiva che durante una permanenza giovanile in Germania aveva spesso invidiato le coetanee tedesche per la loro capacità di essere perentorie dinanzi all'offerta di qualcosa che non gradivano, e di come quel *Nein danke* le fosse sembrato allora un atto rivoluzionario in confronto al suo rifiuto incerto, quasi piú simile a un *forse*. L'episodio citato mette il dito in una delle principali ferite causate alle donne da un certo tipo di educazione che non ha mai previsto la formazione al rifiuto.

Perché una parola semplice come il *no* entrasse a far parte del vocabolario delle donne italiane bisognò aspettare gli anni Settanta, quando le donne in piazza, gridando a gran voce lo slogan «io sono mia», affermarono come assoluta ed esclusiva la libertà di disporre di se stesse e del proprio corpo. Era e resta ancora difficile abbattere il condizionamento di decine d'anni di educazione al consenso. Mentre l'uomo per generazioni è stato incoraggiato sin da bambino a essere volitivo e perentorio – e probabilmente piú manifestava la propensione al rifiuto, piú di lui si diceva che avesse «carattere» – alle bambine si insegnava invece la virtú dell'obbedienza, a essere compiacenti, inculcando in loro l'idea che il no fosse scortesia e il rifiuto superbia e presunzione di sé. In questo modo le donne sono cresciute con l'idea di essere una specie consenziente, ma ha finito per radicarsi anche negli uomini l'errata convinzione che le donne quando dicono *no* in realtà vogliano dire *forse*, e quando dicono *forse* è perché in fondo desiderano dire *sí*. Su questo sfondo culturale i rifiuti delle donne non sono quasi mai considerati una cosa seria: piuttosto capricci di donna *mobile qual piuma al vento*, e come tali sottoposti a continua messa in discussione, specialmente quando mirati a negare la disponibilità sessuale.

In un registro di comunicazione sociale che decodifica il rifiuto femminile come un possibile consenso che ha voglia di farsi inseguire, c'è il rischio che nel protrarsi del *no* l'uomo colga gli estremi di una sfida, e a quel punto possa far di tutto per ottenere il *sí*. A leggere le dichiarazioni degli stupratori arrestati nei processi per violenza sessuale ci si rende conto che a venire usata piú spesso come giustificazione al reato è proprio la comoda presunzione del consenso della donna. Questo non dipende, anche se a molti piacerebbe continuare a pensarlo, da una inesistente ambiguità insita per cultura nell'animo femminile, che indurrebbe l'uomo all'equivoco. È piuttosto il frutto di una educazione alla compiacenza, all'idea che opporre un rifiuto, quale che sia, rappresenti un venir meno al dovere tacito di sacrificare la propria volontà per far prevalere quella di un altro.

Fino alla riforma del diritto di famiglia del 1975, negarsi al marito era addirittura vietato per legge, perché si qualificava come mancato adempimento del cosiddetto dovere coniugale. Anche se la norma sembrava congegnata per garantire la reciprocità, è chiaro che era stata pensata per impedire alle mogli di sottrarsi ai rapporti sessuali con i mariti. Anche il ratto d'amore, la cosiddetta fuitina, si fondava sul presupposto della finzione del rifiuto femminile: l'uomo innamorato si prendeva con apparente arbitrio quello che la donna insisteva formalmente a negargli, ma che desiderava in realtà concedergli. Il successivo matrimonio riparatore confermava il fatto che il rifiuto era stato sempre fittizio, il che piú di una volta sollevò il futuro marito dal rischio di essere denunciato per quello che in molti casi era semplicemente un rapimento con stupro. Ci volle il coraggio di Franca Viola, la ragazza siciliana che nel 1965 rifiutò di sposare il suo aguzzino e lo trascinò invece in tribunale perché rispondesse di violenza nei suoi confronti, per mettere in discussione giuridicamente la brutta abitudine di considerare il *no* della donna come l'atto coreografico di una improbabile danza del corteggiamento.

Questo non vuol dire che l'uso del *no* nel gioco sensuale tra l'uomo e la donna non sia presente, e anche molto seducente. La ritrosia come linguaggio segreto, il piacere di essere cercati e di cercare, il patto di reciproca complicità che impone ai partner di non dare per scontato né il desiderio né il cedimento, sono cose molto diverse dalla condanna femminile a non essere mai prese sul serio, o da quella maschile a dover insistere per contratto fino a ottenere un consenso per sfinimento.

L'educazione religiosa cattolica ha inciso grandemente sull'idea che una donna per bene sia per sua natura un essere consenziente all'interno di un contesto coercitivo. Il *sí* delle donne è indispensabile alla sopravvivenza del sistema

patriarcale: tanto nella società quanto nella Chiesa il loro
corpo è la materia primaria del contratto. Nel sistema di
cui gli uomini dettano le condizioni, il corpo delle donne
è classificato a uso civico, condominio, possesso collettivo
su cui si esercitano le volontà piú diversificate. Difficile
per la donna provare a ribaltare le condizioni di un mondo dove basta la bellezza per presupporre la disponibilità sessuale, dove è sufficiente la gentilezza per dare per
scontata la disposizione alla cura e dove, se c'è la fertilità,
è sottintesa anche la fecondità.

Metafora di questa negazione del valore del *sí* e del *no*
femminile resta la tragica ed estrema vicenda di Eluana
Englaro, in cui il padre – che provò ad appellarsi al rispetto assoluto della volontà della figlia – ricevette da Silvio
Berlusconi la sconcertante risposta che, nonostante lo stato
vegetativo, la ragazza tecnicamente avrebbe potuto ancora
avere un figlio. A nessuno sarebbe mai venuta in mente la
stessa immagine se sul letto dell'ospedale ci fosse stato un
ragazzo. Questa risposta, in tutto il suo osceno candore,
rivela il pensiero patriarcale alla sua radice: non esiste la
volontà femminile vincolante se c'è un corpo femminile
vincolato, e il vincolo nella cultura in cui viviamo ha tante
forme possibili. Finché la volontà dell'uomo continuerà a
essere l'unica fonte di diritto, la volontà delle donne sarà
costretta a porsi come elemento di conflitto.

Santa Maria del Consenso.

Una falsa e strumentale rappresentazione della figura di
Maria si è rivelata particolarmente utile a stabilizzare questa
lettura, e pretenderebbe di avere fondamenta nell'episodio
evangelico dell'annunciazione. Nella catechesi tradizionale

e in una parte molto popolare dell'iconografia mariana, la Madre di Cristo è presentata ossessivamente come *la donna del sí* perché è quel *sí* che rese possibile l'Incarnazione del Verbo e il riscatto della storia di sventura dell'umanità dopo il *no* di Eva. La risposta positiva di Maria all'angelo rappresenta il Big Bang del cristianesimo. Chi meglio della donna del *sí* poteva dunque prestarsi a insegnare alle altre donne che l'assenso è conforme non solo al volere del Padre, ma anche alla loro piú autentica indole?

Le chiese sono piene di dipinti di Annunciazioni in cui angeli pieni di slancio si inginocchiano al capezzale di fanciulle piene di grazia, talvolta ritratte con lo spavento e la confusione sul viso, ma che comunque chinano il capo in segno di consenso alla notizia della prodigiosa quanto non richiesta gravidanza. Le donne credenti di ogni latitudine hanno dovuto ascoltare secoli di prediche sulla Maria obbediente e accogliente, la Maria docile alla volontà di Dio, la Maria silenziosa che non discute anche quando non capisce, ma si piega con la flessibilità di un giunco al soffio inatteso dell'imperscrutabile Spirito. Il *sí* supremamente libero di Maria è stato presentato come la sublimazione spirituale di tutti i *sí* pretesi dalle donne credenti, e non importa che questi consensi fossero assai meno liberi di quello della ragazza di Nazareth.

Il *sí* al matrimonio per essere collocate socialmente, il *sí* ai rapporti sessuali con il legittimo sposo, il *sí* alle gravidanze, tutte, sempre e comunque. Il *sí* al servizio e alla sottomissione nella gerarchia familiare. L'obbedienza naturale al padre, al fratello, al marito. L'obbedienza spirituale al prete. Attraverso la distorta rappresentazione del *sí* di Maria la Chiesa ha dato a intendere alle mogli e alle figlie che il loro dissenso, il contrasto con l'uomo e in generale ogni tentativo di definirsi come qualcosa di diverso da una risposta affermativa alle richieste del proprio contesto fossero in contraddizione con il progetto di salvezza di Dio per il mondo. Attraverso la costruzione fittizia di una specie di *via del sí* alla santità, la struttura patriarcale trovava nella religione cattolica una formidabile alleata per continuare a esigere la muta sudditanza femminile. Il principio maschilista del silenzio-assenso veicolato attraverso Maria privava le donne prima della voce, e poi della volontà.

Potrebbe sembrare contraddittoria l'insistenza sulla cultura del *sí* femminile nel cattolicesimo, dopo aver ricordato un elenco di donne elevate all'onore degli altari proprio per essersi rifiutate di dire di *sí* ai loro violentatori. In realtà nell'altalena tra santo consenso e santo rifiuto non esiste alcuna contraddizione. La possibilità apparente di dare due risposte finisce per configurarle come estremi della stessa certezza: poiché non è la volontà femminile che fa la differenza, essa non ha valore in sé, ma funge solo da conferma rituale del contesto. A date condizioni, la donna deve dire di *sí*, perché il suo rifiuto non sarebbe comunque accettato. Al mutare delle condizioni, la donna deve invece dire di *no*, perché il suo consenso semplicemente non è previsto. È per questo che una ragazza spagnola che si prostituisce per gioco può essere piú «shockante» di una ragazza spagnola stuprata per strada.

Della fanciulla che preferí tornare a casa senza la verginità piuttosto che morta non sapremo mai neanche il nome, perché il suo *sí* le avrà anche salvato la vita, ma non risulta funzionale al sistema che la voleva fino in fondo vittima e indifesa. La figlia ribelle che prova a opporre le proprie condizioni a quelle del padre non sarà portata a esempio a nessuna: il suo *no* sovverte la gerarchia familiare. La moglie cristiana che ha provato a sottrarsi ai rapporti sessuali con l'energumeno che si era resa conto troppo tardi di aver sposato, difficilmente avrà sentito incoraggiamenti dalla grata del confessionale: il suo *no* destabilizza il rapporto di potere in cui è entrata sposandosi. La ragazza credente che si rifiuta di vergognarsi di far l'amore con il suo ragazzo prima del matrimonio dovrà imparare a convivere con la disapprovazione del suo contesto religioso, perché il suo *sí* afferma che il controllo del corpo è in mano sua. La donna separata che provasse a rifarsi una vita con un uomo diverso da quello che l'ha portata all'altare, sa bene che per la Chiesa ha già detto un *sí* di troppo. Nel millenario sistema dei patriarchi c'è un tempo per rifiutare e un tempo per acconsentire, un tempo per perdonare e un tempo per punire le scelte fuori norma: nessuno di questi tempi è mai deciso dalle donne, specialmente quando il *sí* e il *no* riguardano il loro corpo.

La sovversiva.

Maria di Nazareth è la persona che ha subito il torto piú grande nel dipanarsi di questa colossale struttura di dominio. È stata strumentalmente trasformata in icona della piú passiva docilità, in muta testimonial del silenzio-assenso, e ha finito in modo paradossale per essere proposta come esempio luminoso di donna funzionale ai piani altrui, lei che i piani altrui li aveva sovvertiti tutti senza pensarci su neanche un istante. Il *sí* di Maria all'annunciazione andrebbe studiato in tutte le circostanze in cui si ragiona di donne, perché è quanto di piú distante dall'ordine patriarcale si possa sperare di vedere.

Immaginiamola nel suo contesto questa ragazzina forse sedicenne, ipotetica figlia di un padre che aveva ancora potestà su di lei, e certamente legata a un promesso sposo che quella potestà l'avrebbe invece avuta a breve. Immaginiamola ricevere la piú misteriosa delle visite, e sentirsi dire che presto avrà un figlio. Non è un ordine quello che riceve Maria dal messaggero misterioso, ma una richiesta importante, una di quelle che in un sistema patriarcale si avanzano al padre, non certo alla figlia. Il Signore annunciò ad Abramo, e non a Sara, che sarebbe rimasta incinta di Isacco. Fu Zaccaria e non Elisabetta a ricevere l'annuncio della gravidanza in tarda età di quel figlio che poi sarebbe diventato Giovanni il Battista. Invece questo misterioso visitatore non rispetta le regole, evita tutti i passaggi rituali del sistema tribale giudaico per rivolgersi direttamente a Maria, rendendola soggetto protagonista della scelta che piú la riguarda, come è giusto oggi, ma come non era certo normale nel I secolo.

L'angelo del Signore è un anticonformista, ma la fanciulla d'Israele non ha certo la stessa autonomia. Una fanciulla per bene davanti alla proposta sconcertante di restare incinta senza *conoscere uomo* avrebbe dovuto nel migliore dei casi rifiutare, nel peggiore chiedere tempo. Dire qualcosa di molto assennato e prudente, tipo «ne parlo con mio padre». Oppure con qualcuno piú grande, piú esperto, piú potente. Poteva parlarne con il suo promesso sposo, per esempio. Se la fidanzata deve restare incinta per opera dello Spirito Santo, forse sarebbe meglio che il futuro sposo ne sia prima informato.

Maria si guarda bene dal fare tutto questo. Se l'angelo è un anticonformista, lei lo è di piú. Per questo non accetta subito, ma si permette anche gli spazi della trattativa; al messaggero del Signore osa chiedere persino spiegazioni: «Come è possibile?». Lui è paziente, molto piú paziente di quanto non sia stato con l'incredulo Zaccaria, e le annuncia le modalità con cui può avvenire il prodigio. Evidentemente per lei sono sufficienti, perché alla fine dice il famoso *sí*: «Sia fatto di me secondo la tua parola».

Il *sí* di Maria sarà suonato molto bene nell'alto dei cieli, ma a tutti gli effetti nella terra degli uomini restava un suicidio. Essere rimasta incinta prima di andare a stare nella stessa casa con il promesso sposo non era un fatto che consentisse molte interpretazioni: o lui non l'ha rispettata fino alle nozze, o lei si è concessa a qualcun altro. La gente forse avrebbe pensato che fosse vera la prima ipotesi, e sarebbe stato già molto grave, ma Giuseppe avrebbe pensato sicuramente alla seconda, e questo poteva significare solo una cosa per Maria: pietre.

Persino una ragazza tanto sciocca da accettare l'offerta del messaggero del Signore a questo punto sarebbe tornata in sé e sarebbe corsa dal padre, dal fidanzato, dallo zio, dal sommo sacerdote o da una donna piú vecchia per raccontare che cosa era successo, cercando di farlo capire e accettare prima che cominciasse a vedersi sul suo corpo. Eppure Maria non fa nulla di tutto questo. Si tiene il suo segreto, la sua visita misteriosa e il suo bambino che le cresce nel ventre, e non dice niente a nessuno. Anzi, fa proprio quello che potrebbe aumentare agli occhi di tutti la sua colpevolezza: si mette in viaggio e va a trovare sua cugina Elisabetta, l'unica che si accorgerà che è incinta.

Quando tre mesi dopo Maria torna a casa, la pancia è abbastanza grande perché anche Giuseppe la veda; solo il suo buon cuore farà scartare al falegname di Nazareth l'ipotesi di farla ammazzare a colpi di pietra per adulterio. Sarà un sogno a distoglierlo dalle idee di ripudio e a convincerlo che quello che sta avvenendo è volere di Dio: da quel momento lui di Maria e del suo bambino misterioso diventerà il protettore piú scaltro e attento. Ma in tutto questo Maria ha fatto solo quello che ha voluto, nei tempi e nei modi che ha deciso, a condizioni stabilite da lei, costringendo di fatto a piegarsi alla sua libertà di dire *sí* tutto il sistema che la circondava e pretendeva di dettarle legge.

Affonda anche qui l'originaria natura destabilizzante del cristianesimo e Maria lo capisce molto bene. Il canto liberatorio del *Magnificat* che l'evangelista le mette sulle labbra a casa della cugina Elisabetta rappresenta a tutti gli effetti un inno al sovvertimento dello status quo. Il Dio che ha rovesciato i potenti dai troni e ha innalzato gli umili ha anche destabilizzato una volta per sempre la gerarchia patriarcale tra l'uomo e la donna, facendo di una ragazza la massima complice della salvezza del mondo.

Quel Dio ha fatto di lei, l'ultima delle ragazze di Israele, una il cui nome sarà benedetto da tutte le generazioni a venire. Maria può permettersi di cantare quelle parole perché con il suo *sí* ha fatto saltare il tavolo, ha stabilito le condizioni del riscatto, ha voltato la carta della storia di Israele e non c'è piú nessuno che potrà farle credere che qualcosa non è possibile a una donna.

Con una simile madre non c'è da stupirsi se Cristo per tutta la sua vita pubblica ha usato alle donne un'attenzione altrettanto anticonformista rispetto al contesto in cui è vissuto. Non c'è niente come la Scrittura per rivelarci quanto sia falsa l'idea di Maria che vogliono darci a bere come docile e mansueta, stampino perfetto di tutte le donnine per bene.

v.
Un dio con voce di donna

Memorie cattoliche.

Avevo sei anni quando mano nella mano con una zia entrai per la prima volta nella foresteria di un convento di clausura. Non lo sapevo ancora, ma a Oristano ci sono tre ordini femminili di vita contemplativa, e il convento a cui ci affacciavamo noi apparteneva alle francescane cappuccine, famose tra le massaie perché facevano le migliori capigliette della storia delle cresime sarde. Le riconoscevi al volo perché non erano grandissime, ma sulla loro cappa di glassa bianca spiccavano tono su tono raffinatissimi ricami di zucchero realizzati Dio solo sa come. Mia madre, che non ha mai saputo fare i dolci, per tutta la vita mi ha ripetuto stizzita che le capigliette delle cappuccine venivano cosí bene perché le monache non avevano altro da fare tutto il giorno. Fatto sta che eravamo lí per ritirare quelle che avevamo ordinato noi.

Una volta entrate nel piccolo androne della foresteria, mia zia si diresse decisa verso il muro di fronte dove non c'erano finestre, ma una specie di vano di legno, al quale lei si rivolse con una scampanellata squillante. Pochi istanti dopo al di là della parete rispose una voce flebile di donna della quale non vedevamo il volto.

– Sia lodato Gesú Cristo.

– Sempre sia lodato. Sono venuta per le capigliette di Marongiu.

– Arrivo.

Ci fu silenzio di nuovo per qualche minuto, poi il vano di legno si mosse e cominciò a ruotare su se stesso. Al termine del giro, sul fondo apparve un vassoio incartato con sopra il bigliettino del prezzo. Mia zia lo lesse, prese il vassoio con una mano e con l'altra pagò. Vidi i soldi posarsi sul fondo, vidi la ruota di legno girare ancora su se stessa e il denaro sparire, come la presenza misteriosa oltre il muro. Eravamo rimaste in quella stanzetta per non piú di quattro minuti.

Quando uscimmo impiegai qualche secondo ad abituarmi alla luce del sole, poi venne il tempo delle domande.

– Zia, cos'è questo posto?

– È un convento di clausura. – rispose lei, come se la risposta potesse chiarire qualcosa a una bambina di sei anni. Feci un altro tentativo.

– E chi ci abita dentro?

Mia zia è una donna spiccia, ma molto pia. Sembrò realizzare in quel momento che io non avevo la minima idea di cosa fosse la vita contemplativa. Valutò che l'esca vocazionale che stava per lanciarmi potesse essere spiritualmente piú efficace se si teneva sul vago, e cosí rispose lapidaria.

– Ci abita Dio.

Non chiesi altro, né lei aggiunse altre parole, ignara di quanto fosse stata esaustiva la sua risposta per me. Tornai a casa con una gioia immensa nel petto e l'ansia di raccontare a mamma la meraviglia che avevo scoperto nel convento. Ci prendevano in giro tutti a Cabras. Nella nostra chiesa il grande dipinto alle spalle dell'altare era sbagliato. Bisognava che qualcuno glielo dicesse a monsignor Manca, che andasse anche lui a Oristano in convento ad ascoltare, cosí avrebbe capito, perché a

Oristano lo sapevano già che Dio non era quel vecchio
con la barba.
Dio era una donna.
E faceva le migliori capigliette del mondo.

Mi disegnano cosí.

Jessica Rabbit, che nel famoso film di Robert Zeme-
ckis è la prosperosa e sensuale *femme fatale* moglie del co-
niglio Roger, si difendeva dalle accuse di cattiveria con
disarmante fatalismo: «Io non sono cattiva, è che mi disegnano cosí!» Involontario manifesto di tutti i soggetti
privi di voce propria, la felice battuta di Jessica contiene
un'evidenza che si estende ben oltre il tratto di matita del
cartoonist: quando si è impossibilitati a rivelare da soli la
propria verità, è il modo in cui veniamo raccontati l'unica
strada che ci rende intelligibili agli altri. Solo che spesso
quella strada conduce da qualche altra parte.

Non esistono narrazioni prive di conseguenze: nemmeno la piú innocente delle fiabe lascia il mondo come
lo ha trovato. Se persino Cappuccetto Rosso è un affare
serissimo, a maggior ragione devono esserlo i racconti su
Dio, perché da quella narrazione passa da sempre anche
la storia dell'uomo, della donna e del mondo in cui essi
vivono. Questa accortezza va tenuta a mente soprattutto
quando si raccontano storie ai bambini. È dalle storie che
i bambini ricavano inconsapevolmente i codici segreti per
aprire la cassaforte del mondo. Una delle prime storie che
tutti impariamo è quella dettata dal contesto religioso in
cui abbiamo avuto la ventura di nascere, una storia che
passa anche attraverso le parole che sono state scelte per
raccontarcela. Sul nostro accesso all'immaginario del rac-

conto biblico ha infatti influito molto la traduzione di cui
disponiamo, che in molti casi risente dell'intenzione culturale di chi l'ha costruita. Per esempio il termine greco
diàkonos che si incontra spesso nelle lettere di san Paolo e
che significa «servitore», nel testo biblico approvato dalla Cei viene tradotto in due modi diversi a seconda che si
riferisca a un uomo (allora diventa «diacono») oppure a
una donna (che invece è tradotta come «collaboratrice»).
È evidente che pur di non offrire materiale speculativo
alle teorie sul sacerdozio femminile, in questo caso non
si è esitato a tradire il testo paolino. Il famoso passo del
profeta Isaia che viene ritenuto una profezia messianica
– «Ecco, la vergine concepirà e partorirà un figlio, che
chiamerà Emmanuele» (*Is* 7,14) – contiene un altro esempio di traduzione eterodiretta, perché la parola *almà*, che
in italiano e in greco viene resa con «vergine», in ebraico
significa semplicemente «fanciulla, giovane donna in età
da marito» e non vergine in senso biologico, che in ebraico si dice *betulà*. L'intenzionalità del traduttore in questa
libera interpretazione del testo è sin troppo evidente ed
è su quella secolare traduzione che hanno fondato la loro
fede generazioni di donne e di uomini.

Le religioni di matrice biblica conoscono bene l'importanza delle parole: il racconto biblico ci mette davanti a
una realtà figlia di un Dio Narratore, perché è stata proprio
la sua Parola potente a dare forma alle cose: tutto quello
che chiamiamo realtà esiste perché Dio lo ha raccontato.
Il suo è stato il piú potente degli *abracadabra*, meravigliosa parola di origine aramaica che sembra significhi proprio
«io creerò come parlo».

La storia biblica racconta che l'umanità è sorta «a immagine e somiglianza» del suo Narratore, una espressione affascinante e misteriosa che ha fatto diventare matte

generazioni di esegeti, perché *immagine e somiglianza* può davvero voler dire tutto e il suo contrario. È certo importante stabilire cosa possa significare per l'uomo e per la donna essere a immagine e somiglianza di Chi li ha narrati per primo; ma interessa infinitamente di piú indagare il processo inverso, ripercorrendo il complesso percorso che ribalta gli attori del racconto e trasforma Dio da soggetto narratore a oggetto narrato.

Dio ha raccontato l'uomo e la donna a sua immagine, ma gli uomini e le donne a immagine di cosa si sono raccontati Dio? Tutti i credenti sono a loro modo vittime delle false narrazioni su Dio. Qui interessano soprattutto le ferite che queste narrazioni hanno causato e continuano a causare alle donne, a quelle credenti e anche a tutte le altre: dobbiamo capire le storie che hanno generato i mondi dove tutte abbiamo dovuto prendere cittadinanza, spesso nostro malgrado. I credenti consapevoli del fatto che *tradizione* e *tradimento* sono parole con la stessa radice comprenderanno bene che non si tratta di una ricerca speculativa: risponde al dovere di cercare rimedio alla sofferenza causata dalle narrazioni distorte che da sempre tentano di fondare su Dio ogni gerarchia di dignità tra gli uomini e le donne.

È certamente fondamentale smettere di fare a Nostro Signore lo stesso torto che ha subito Jessica Rabbit: quello di essere raccontato per come non è. Ma è ancora piú urgente invertire le narrazioni su di noi, perché spesso finiamo per definirci (o vederci definite) a immagine e somiglianza del Dio che ci è stato cucito addosso. Indagare quelle storie, decostruirle e cercarne di alternative è un indispensabile atto spirituale e politico che non va lasciato ai soli recinti specialistici: Dio è affare di tutti, giacché tutti siamo affar suo.

La crocifissa.

Nel novembre del 2008, in occasione della giornata mondiale contro la violenza sulle donne, la onlus Telefono donna, in quanto associazione che si occupa di supportare le vittime, commissionò una campagna pubblicitaria che fece molto discutere. Il manifesto raffigurava una donna quasi nuda distesa su un letto con le braccia allargate, i palmi stesi e i piedi incrociati nella tradizionale posizione del Crocifisso. Il corpo della donna era esanime, magrissimo e statico, e non era sessualmente provocante: le forme del seno erano cosí scarne che se non avesse avuto i capelli lunghi la si sarebbe potuta scambiare facilmente per un ragazzo.

Sui fianchi aveva lo stesso panno candido che nell'iconografia tradizionale copre l'inguine di Gesú in croce, e proprio sul panno era sovraimpressa la domanda: «Chi paga per i peccati dell'uomo?» La didascalia riportava un dato impressionante: «Solo il 4 per cento delle donne vittime della violenza denuncia il proprio carnefice. Le altre pagano anche per lui».

Quando la vidi non solo non la ritenni offensiva, ma mi parve che esprimesse con un'unica immagine la condanna della violenza e l'innocenza delle donne che la subivano. La loro sofferenza, inchiodata al luogo simbolico della violenza domestica (il letto coniugale), era associata al sacrificio di Cristo che aveva letteralmente «pagato per i peccati dell'uomo». Era una delle poche campagne pubblicitarie dove il corpo della donna – considerato come luogo della violenza – e quello di Cristo – inteso come simbolo della sofferenza innocente – non venivano usati strumentalmente.

Il manifesto gettò nel panico i politici del centrodestra della città di Milano, capitale italiana della moda, della televisione e del piú spregiudicato linguaggio pubblicitario. Quando si videro richiedere l'autorizzazione all'affissione ebbero reazioni di immediato rigetto, senza per altro riuscire ad articolarne precisamente il motivo. L'assessore comunale all'Arredo urbano affermò turbato:

> Non so se ho gli strumenti per negare gli spazi, ma ne respingo totalmente il contenuto, che offende la nostra tradizione cristiana. Pongo il problema politico e ne informerò il sindaco: chiederò a Telefono donna di ritirare il manifesto.

Il funzionario non spiegò quale fosse il contenuto dell'immagine che tanto offendeva la tradizione cristiana. Difficile credere che il motivo potesse essere il topless della donna, visto che le immagini di donne a seno nudo sono comuni. Difficile anche credere che potesse dar fastidio l'associazione tra le due violenze, dato che l'immagine della croce di Cristo come astrazione simbolica di tutte le declinazioni della sofferenza umana fa parte del linguaggio comune in Italia: «Porto la mia croce», «Sei una croce», «Non mettermi in croce» sono espressioni cosí diffuse nel linguaggio colloquiale che non destano alcuno scandalo anche quando sono associate a un semplice disagio. Il motivo del turbamento non era quindi affatto chiaro, come non era chiaro perché dovesse costituire un «problema politico» di cui informare il sindaco.

Piú illuminante fu la posizione del capogruppo di An al comune di Milano, Carlo Fidanza, che rilasciò la seguente dichiarazione:

> Serve piú rispetto per il nostro patrimonio culturale. Si parla tanto di decoro: vedere affissi per Milano manifesti cosí urta contro il decoro, oltre che contro il buon senso e la morale pubblica.

Si infittisce il mistero. In che modo una donna visibilmente sofferente disposta e abbigliata come Cristo crocifisso poteva offendere «il decoro, il buon senso e la morale pubblica»? Viviamo nel paese delle veline, dove la televisione trabocca di corpi femminili discinti. Ogni manifesto pubblicitario ci sbatte addosso una donna svestita, a prescindere dal prodotto al quale è associata. In tutta Italia si cammina circondati dall'esposizione di nudi di donna, e molte campagne commerciali che fanno uso provocatorio del corpo femminile prendono le mosse proprio da Milano. È dal 1990 che il fotografo Ico Gasparri mette al muro la cattiva coscienza di questa città a proposito del corpo della donna. I suoi scatti, migliaia, dei cartelli pubblicitari apparsi sui muri di Milano, girano per l'Italia da vent'anni in una mostra intitolata significativamente *Chi è il maestro del lupo cattivo?* Fino al rigetto del manifesto di Telefono donna, all'assessorato all'Arredo urbano del comune di Milano avevano dato prova di un senso del decoro e della morale pubblica piuttosto tollerante.

Per contro viviamo paradossalmente anche nel Paese dei crocifissi, la terra in cui è in corso da diversi anni una guerra per fare restare Cristo inchiodato ai muri di ogni singolo edificio pubblico, scuola, ospedale o tribunale, in contrasto aperto con il principio di laicità dello Stato, il rispetto per le differenti sensibilità religiose e anche quello per il Crocifisso, ridotto a servire da corpo contundente nello scontro tra ideologie e culture.

Se dunque non era il nudo il problema, e non era nemmeno la croce, è possibile che l'offesa al decoro, al buon senso e alla morale provenisse dal fatto intollerabile che in croce al posto di Gesú ci fosse una donna?

Contro l'esegesi giallistica.

Gesú Cristo era un saggio, ma non un saggista. Gli piaceva piuttosto il linguaggio immaginifico delle parabole, un genere letterario apparentemente semplice che però possiede infiniti piani di lettura, adattabili alla capacità di comprensione degli ascoltatori.

Bisogna provenire da una cultura orale per capire in pieno il fascino evocativo della parabola. Chi non ha questo retroterra finisce ossessionato sempre dalla stessa domanda: *che cosa avrà voluto dire?* È la sindrome dell'esegeta giallista, quello che vuole sempre scoprire che cosa intendeva Gesú *veramente*. Ma la parabola non è un noir che richieda le acrobazie di uno spirito enigmista; è piuttosto una narrazione relazionale, e per questo il suo senso profondo va cercato all'interno del delicato equilibrio che si crea tra la storia, chi l'ha narrata, chi l'ha ascoltata, il contesto e il momento in cui è stata detta e chi la sta leggendo dal Vangelo stesso.

Estrapolare parabole a caso dalle Sacre Scritture per indagarne significati reconditi validi fuori dal tempo e dal contesto è una operazione sempre piuttosto rischiosa. Eppure nella catechesi di base praticata nelle parrocchie della Chiesa cattolica questo processo avviene continuamente. Tra le vittime piú colpite da questa ermeneutica della domenica ci sono tre parabole dalla struttura interessante. Le ho scelte perché nel loro insieme rappresentano un ottimo esempio di contronarrazione rispetto alla vulgata su Dio con cui anche Gesú ha dovuto abbondantemente fare i conti durante la sua predicazione. I tre racconti costituiscono una sorta di blocco narrativo comunemente noto come «le parabole della misericordia». Se non le vedo piú con gli stessi occhi di quando ero bambina lo devo soprattutto al genio esegetico di Antonio Pinna, il biblista oristanese che mi ha insegnato che le parabole non sono indovinelli narrativi dedicati a soggetti troppo infantili per sopportare l'astrazione di un discorso esplicito. Le parabole sono una cosa seria. Non essendo io un esegeta, nemmeno mi azzardo a farne una lettura tecnica. È sufficiente analizzarne la struttura narrativa e il modo in cui è manipolata in senso metaforico dalla predicazione cattolica per presentare una sola faccia di Dio, sempre la stessa.

La parabola scomoda.

Al capitolo 15 del Vangelo di Luca si verifica una classica scenetta bigotta da piccolo paese di provincia: mentre un po' di gentaglia va a sentire le predicazioni pubbliche di Gesú, i farisei e gli scribi trovano disdicevole e ne malignano tra loro: «Costui accoglie i peccatori e mangia con loro!» Il sottinteso evidente è che se Gesú fosse davvero il Messia si cercherebbe compagnie migliori. Gesú, che evidentemente è a conoscenza di queste mormorazioni, racconta allora una serie di parabole molto mirate, talmente simili da poter essere facilmente analizzate una accanto all'altra.

La prima è nota come la parabola «della pecorella smarrita», fonte fecondissima di una iconografia ricca di suggestioni bucoliche. Gesú si rivolge in prima persona ai presenti per porre una domanda retorica: «Chi di voi, se possiede cento pecore e ne perde una, non lascia le novantanove nel deserto e va a cercarla finché non la ritrova?» Il racconto descrive il pastore imma-

ginario che tutto contento si mette in spalla l'animale
che si era perduto e torna all'ovile, chiamando gli amici
a far festa per il ritrovamento del prezioso bene. Gesú
conclude individuando un parallelo tra la vicenda della pecora perduta e quella del peccatore, affermando
che per la sua conversione Dio fa piú festa che per novantanove giusti che non necessitano di ravvedimento.
L'espressione «pecorella smarrita» è metafora comune
nel linguaggio italiano.

La seconda è la parabola «del figliol prodigo», titolo
che l'edizione ufficiale della Bibbia della Cei ha recente-
mente modificato nel piú comprensibile «del padre mi-
sericordioso». È cosí conosciuta che l'espressione *il ritorno del figliol prodigo* è entrata nel linguaggio comune
per indicare l'atteggiamento di chi, dopo una ribellione
temporanea, sceglie di tornare sui suoi passi. La trama è
semplice: un uomo ha due figli e un giorno il minore gli
chiede la sua parte di eredità per andare via di casa. Il
padre accetta di farsi trattare come se fosse morto e divi-
de l'eredità, consegnando al figlio minore la parte che gli
spetta. Il giovane sperpera tutto in gozzoviglie e prostitute, finendo presto sul lastrico. Costretto a guadagnarsi il
pane in maniera umile, studia un discorso di pentimento
e si mette in viaggio, ma quando ancora è lontano il padre lo vede arrivare e, impazzito di gioia, fa ammazzare il vitello grasso (altra locuzione diventata patrimonio
comune) e predispone la casa per fare festa. Il figlio ha
appena il tempo di pronunciare il suo discorso che già il
padre lo abbraccia, gli mette l'anello al dito e lo accompagna alla festa che ha convocato per lui. Il ritorno per
il figlio maggiore è un momento imbarazzante, giacché il
padre deve spiegargli il motivo dell'entusiastica accoglienza riservata a uno che tutto è fuorché un figlio modello,

facendo ricorso a una logica misericordiosa che va oltre ogni umana comprensione genitoriale, e pure fraterna.

In mezzo alle due parabole ce n'è un'altra che curiosamente non ha mai generato luoghi comuni nel linguaggio, non ha mai alimentato iconografie di sorta e a stento viene ricordata con il suo nome corretto. È la parabola denominata «della dramma perduta», pochissimo nota anche perché nessuno ha mai capito veramente cosa fosse una dramma. Trattandosi di una moneta, per associazione viene spesso pronunciata *dracma*, che però con la valuta in questione non ha nulla a che fare. Sul piano narrativo racconta esattamente la stessa storia delle altre due: qualcuno perde qualcosa di prezioso, poi lo ritrova e festeggia; ma in questo caso a smarrire qualcosa è una donna, una casalinga un po' sbadata che perde una moneta e la ritrova solo dopo aver messo a soqquadro la casa. Quando riesce a rientrarne in possesso, esulta e chiama le amiche per fare festa.

Perché questa parabola è sparita dalla predicazione? Perché molti pittori hanno ritratto la tenerezza del pastore con la sua pecora in spalla e l'amore sconfinato del padre che si riprende in casa il figlio scapestrato, ma nessun artista ha mai dedicato un'ora del suo talento a immortalare la gioia della donna che ritrova la preziosa moneta? La ragione è chiara: la casalinga distratta si presta a essere letta come immagine di Dio.

Dio, *la casalinga disperata.*

I predicatori cattolici hanno sempre visto nelle tre parabole della pecorella smarrita, del figliol prodigo e della dramma perduta una traduzione simbolica della misericordia sconfinata di Dio. Se noi siamo i peccatori, identici a quelli che andavano a sentire le predicazioni di Gesú in Galilea e Giudea, quella del figliol prodigo e della pecorella smarrita sono narrazioni allegoriche della nostra condizione. Il buon Pastore è ovviamente Gesú stesso, che altre volte nel Vangelo si è riferito a sé con la medesima similitudine. Come il buon Pastore, anch'egli va in giro a cercare le sue pecorelle perdute, e quando le ritrova le prende teneramente in spalla; da questa scena di dolcezza possiamo desumere molti particolari della pecora che ci rappresenta, come l'aver avuto una zampa ferita durante le scorribande lontano dal gregge, oppure che sia cosí stanca per il lungo vagabondare da non avere le forze di ritrovare la strada da sola. La pecora ferita e ribelle viene dunque ricondotta con le altre pecore dal Pastore buono, che la custodirà in un luogo sicuro al riparo dal lupo e da se stessa. Questa narrazione è stata per decenni la base delle liturgie penitenziali, e migliaia di uomini, donne e bambini l'hanno letta o sentita raccontare come allegoria della propria storia personale, prima di recarsi dal confessore a farsi riprendere nell'ovile ecclesiale.

La parabola del figliol prodigo ha goduto di ancora maggior fortuna, perché l'uso di personaggi umani rende l'identificazione persino piú immediata: il padre non può che essere Dio Padre stesso, mentre il figlio minore è il peccatore che, presumendo con protervia di poter vivere senza l'amore del padre, lascia la sua casa per inseguire l'illusione di una falsa libertà (la libertà fuori dalla casa del Padre per i credenti è falsa per definizione). I suoi errori sono i nostri errori. Le sue tribolazioni sono le nostre tribolazioni. Il suo pentimento anche, cosí come la speranza di trovare al nostro ritorno un Padre tanto tenero da risparmiarci la porta chiusa o la lunga espiazione che meriteremmo, un padre che invece sa spiazzarci accogliendoci immediatamente nell'intimità della sua misericordia, fregandosene dei bigotti invidiosi che ci auguravano di finire all'inferno. La tenerezza è talmente sovversiva che mette in radicale discussione il ruolo autorevole e correttivo della figura paterna. La misericordia del padre della parabola è talmente estesa e illogica che è apparsa molto piú materna che paterna, tanto che il pittore Rembrandt nel celebre quadro *Il ritorno del figliol prodigo* ebbe la geniale idea di rendere la dicotomia raffigurando in maniera diversa le mani del Padre che stringono il figlio nell'abbraccio: una è virile e nodosa, l'altra affusolata e delicata come quella di una donna.

La terza parabola, pur essendo strutturalmente identica alle altre due, non ha mai costituito traccia valida per nessuna liturgia penitenziale. L'allegoria che suggerisce è infatti inaccettabile per la sensibilità tutta maschilista dell'educazione cattolica tradizionale, che può anche ammettere un Cristo descritto come pecoraro sbadato con il suo gregge, e arrivare ad accettare un Dio padre privo del piú elementare senso della disciplina; ma non può consentire che l'identità divina venga rappresentata da una figura femminile, meno che mai da una casalinga disperata perché non trova la sua moneta.

Il potenziale socialmente sovversivo della parabola della dramma perduta è notevole, specie se si considera l'epoca in cui Gesú l'ha pronunciata. Si tratta per prima cosa di una donna sola: non c'è traccia di una figura maschile in casa, nemmeno come personaggio assente e anche quando ritrova la moneta, la donna chiama a far festa solo le sue amiche. Non si tratta di una donna qualunque, ma di una padrona di casa con una sua autonomia economica: la moneta appartiene inequivocabilmente a lei. In nessun passaggio viene lasciato intendere che la cerchi per paura di qualcuno che possa chiedergliene conto. Donna, sola e padrona di mezzi: questa è la protagonista della storia della dramma raccontata da Gesú. Anche senza attribuirle significati allegorici sarebbe già una narrazione sufficientemente rivoluzionaria per la Giudea del 30 d. C., un tempo in cui la parola stessa della donna valeva cosí poco che non era accettata neanche come testimonianza in tribunale se non c'era un uomo a confermarla. L'evangelista Luca non si pone minimamente il problema di far narrare a Cristo la storia di una donna, né di inserirla in una serie di tre narrazioni speculari in cui il parallelismo con la misericordia di Dio appare cosí facile da stabilire: tutti i protagonisti in cerca di quello che hanno perduto sono come Dio che cerca il cuore dell'uomo per riportarlo a sé. Compresa la casalinga disperata per la sua moneta.

La narrazione cosí esplicita di un'immagine femminile di Dio, benché presente in ogni copia del Vangelo, è stata del tutto rimossa dalla predicazione popolare cattolica. Non è difficile riconoscere nella scomparsa di questa parabola le tracce del medesimo processo mistificatorio che ha spinto la Chiesa a trasformare Maria da ragazza libera e coraggiosa in pia donna docile e muta. L'obiettivo di costruire un immaginario patriarcale normalizzato viene perseguito sia con apposite narrazioni distorte sia attraverso un silenzio chirurgico sui passaggi della Scrittura che sono contradditori o non funzionali. Nella Bibbia sono decine le immagini femminili di Dio che sono state deliberatamente ignorate nei processi di costruzione dell'immaginario. Questa mutilazione simbolica ha privato le donne del diritto di riconoscersi «a immagine di Dio» in un Dio che fosse anche a loro immagine. Agli uomini è stata invece sottratta la possibilità di vivere la ricchezza di una spiritualità della reciprocità: essi sono costretti a pensarsi dentro una relazione con Dio in termini esclusivamente virili, in un cortocircuito simbolico talvolta surreale. Se delle suore si dice che sono spose di Cristo, dei sacerdoti si è costretti ad affermare che sono sposati con la Chiesa, imponendo all'istituzione ecclesiastica (quando non a Maria stessa) di occupare il vuoto simbolico generato dall'epurazione sistematica delle immagini femminili di Dio dai racconti di fede.

Madre nostra che sei nei cieli.

Giovanni Paolo I, il papa la cui morte un mese dopo l'elezione ha agitato gli animi dei complottisti quasi piú di quella di Elvis Presley, era una persona mite e un intuitivo. Nell'Angelus del 10 settembre 1978 pronunciò una frase che rimase famosa: «Noi siamo oggetto da parte di Dio di un amore intramontabile: è papà, piú ancora è madre». L'affermazione, che in realtà chiosava un passo biblico del libro tutt'altro che inaccessibile del profeta Isaia (*Is* 49,15), risuonò come uno sparo di fucile. A fare scandalo non era l'immagine dell'amore di Dio come amore anche materno, ma l'affermazione esplicita dell'esistenza di Dio Madre, che strideva con l'idea fortemente maschilizzata che aveva contraddistinto l'immaginario cattolico sul divino. Come avrebbe detto l'assessore all'Arredo urbano del comune di Milano, era un'ipotesi che offendeva la tradizione e urtava il decoro, il buon senso e la pubblica morale.

Se un papa poteva affermare nell'Angelus che Dio era anche Madre, quanto ci avrebbero messo i vescovi progressisti, sotto la spinta delle lotte femministe di quegli anni, a pretendere di pregare dicendo «Madre Nostra che sei nei cieli»? E se poi davvero Dio è anche Madre, come andrebbe raccontata ai semplici la realtà della Chiesa Madre, vicaria sulla terra del Padre che sta nei cieli? E Maria – la Madre per antonomasia – come avrebbe potuto collocarsi accanto al nuovo soggetto del divino materno? L'affermazione del papa spalancava un abisso teologico e simbolico spaventoso. La prospettiva che papa Luciani potesse fare di quell'affermazione uno dei pilastri portanti del suo magistero dottrinale gettò sicuramente nel panico piú d'un cardinale in Vaticano. Probabilmente anche Joseph Ratzinger che, fresco di porpora, aveva pure lui partecipato al conclave da dove Albino Luciani era uscito pontefice. Che cosa pensasse il teologo bavarese della sparata papale su Dio Madre lo si sarebbe compreso anni dopo. Prima doveva salire al soglio di Pietro il cardinale polacco Karol Wojtyła.

Giovanni Paolo II, che era un papa talmente mariano da scegliersi come motto del pontificato la frase «Totus tuus», preferí dirottare sulla Madre di Gesú la questione femminile interna alla Chiesa. La lettera apostolica *Mulieris Dignitatem* è un segno molto chiaro di come per Wojtyła non fosse un'eventuale attribuzione del femminile a Dio a dover fondare il discorso sul ruolo della donna nella Chiesa. Nonostante questa manovra diversiva, sulla questione di Dio Madre Giovanni Paolo II si espresse in piú occasioni. In una di queste fece riferimento alla parabola del figliol prodigo che abbiamo appena analizzato:

> Egli è anzitutto e soprattutto Padre. È il Dio Padre che stende le sue braccia benedicenti e misericordiose, attendendo sempre, non forzando mai nessuno dei suoi figli. Le sue mani sorreggono,

stringono, dànno vigore e nello stesso tempo confortano, consolano, accarezzano. Sono mani di padre e di madre nello stesso tempo.

Nel discorso, pronunciato in Vaticano il 20 gennaio 1999, Giovanni Paolo II accoglie l'esegesi suggerita dal capolavoro di Rembrandt, ma ne fa l'occasione per ribadire la rigida divisione dei ruoli che anche in Dio per lui sono propri del maschile (mani che sorreggono, stringono, danno vigore) e del femminile (mani che confortano, consolano, accarezzano). Questa arbitraria ripartizione delle inclinazioni dell'animo umano rappresenta una condanna per entrambi i generi. Nel momento stesso in cui confina le donne alla cura e alla consolazione, la visione wojtyliana impone agli uomini l'obbligo di essere autoritari e di non potersi concedere la tenerezza, la fragilità e la paura. Il magistero papale portava avanti un tentativo anacronistico e disperato di resistere al progresso dei tempi che chiedevano sempre piú insistentemente alle donne e agli uomini di rivedere l'antico schema dei loro ruoli.

Ribadendo la concezione a compartimenti stagni del femminile e del maschile, Karol Wojtyła conferma anche che la questione del Dio Madre è molto meno rivoluzionaria di quanto si pensi per la condizione della donna nella Chiesa. Nel momento in cui la madre è ridotta a una funzione, a un archetipo che viene declinato secondo gli stereotipi della donna focolare, della donna accogliente, oblativa e accudente, nulla può cambiare per le donne: esse vivono già dentro una cultura che le legittima solo in quanto madri. Rispetto a Dio Madre è infinitamente piú rivoluzionaria l'immagine della donna della parabola della dramma perduta, perché costringe a fare i conti con una figura femminile che non è definita in base a una relazione familiare. Non c'è un marito, un figlio o un padre a dirci chi è la misteriosa padrona della moneta. Quella figura è liberante per le donne proprio perché non è una moglie, una figlia e nemmeno una madre: è una donna. Finché il divino paterno continuerà a essere associato all'autorità, alla dottrina, al vigore e alla giustizia, e il divino materno alla cura, all'accoglienza e al sacrificio, la questione del Dio Madre rischia addirittura di risultare utile a giustificare lo stato di emarginazione femminile, fuori e dentro la Chiesa.

Eppure neanche questa blanda e ambigua versione della maternità di Dio ha mai convinto del tutto Joseph Ratzinger. In un'intervista rilasciata quando era ancora prefetto della Congregazione per la dottrina della fede al giornalista e biografo di papi Vittorio Messori, il cardinal Joseph Ratzinger si espresse con molta chiarezza in merito alla questione del Dio Madre che ancora si aggirava per i corridoi vaticani come una patata bollente.

Non siamo autorizzati a trasformare il *Padre nostro* in una Madre nostra: il simbolismo usato da Gesú è irreversibile, è fondato sulla stessa relazione uomo-Dio che è venuto a rivelarci.

«Il simbolismo di Gesú è irreversibile» è una frase che pretende di rendere vero il suo contenuto per il solo fatto di essere stata enunciata. Ma pretende, appunto. Per smentirla basterebbe ricordare che Gesú, nell'ambito della stessa area simbolica della paternità divina, ha espressamente chiesto ai discepoli di non chiamare nessuno *padre* sulla terra, «perché uno solo è il Padre vostro che è nei cieli». Eppure nessun papa si è mai preoccupato di non farsi chiamare Santo Padre. La preoccupazione di Ratzinger sembrava indirizzata a sedare la lotta delle donne, con particolare riferimento ai moti femministi interni alla riflessione ecclesiale. Nella stessa intervista affermò appunto:

Sono infatti convinto che ciò cui porta il femminismo nella sua forma radicale non è piú il cristianesimo che conosciamo, ma una religione diversa.

Il futuro papa aveva ragione. Una fede dove fosse possibile pregare Dio anche come madre e non soltanto come padre implicherebbe una religione diversa dal cristianesimo «che conosciamo». Ma Joseph Ratzinger sa bene che ciò che conosciamo passa obbligatoriamente da ciò che si racconta e che ci è stato raccontato. Non è possibile conoscere quel che nessuna storia ci narra. Giovanni Paolo I con il suo riferimento a Dio Madre ha avuto il grande pregio di aprire la strada pubblica a un'altra narrazione del divino, cioè un altro modo di «conoscere» la misteriosa realtà di Dio. Dicendo che il racconto di papa Luciani non autorizza a pronunciare un altro nome di Dio, il cardinale Ratzinger sta rivendicando l'esistenza nella Chiesa di una sola narrazione autorizzata del divino (e quindi anche dell'umano): è possibile continuare a raccontare solo il cristianesimo (e i cristiani, e le cristiane) «che conosciamo» già.

Una volta eletto papa, Joseph Ratzinger è stato molto attento a non riformulare nuovamente lo stesso concetto con la medesima chiarezza, attenendosi piuttosto a quei vaghi principî del catechismo che descrivono Dio al di sopra dei generi. Già nel 2001, nel suo libro *Dio e il mondo*, il futuro Benedetto XVI invitava a definire il Divino fuori dalle categorie dei generi, perché Egli resta «il totalmente Altro», secondo l'espressione del teologo luterano Dietrich Bonhoeffer.

Credo che sia importante ricordare che per la fede biblica è sempre stato chiaro che Dio non è né uomo né donna ma appunto Dio e che uomo e donna sono la sua immagine. Entrambi provengono da lui ed entrambi sono racchiusi potenzialmente in lui.

Il problema da cui siamo partiti, però, non è se l'uomo e la donna siano fatti a immagine di Dio. La questione è piuttosto se Dio sia obbligato a essere solo e sempre a immagine dell'uomo, del maschio. A questa domanda papa Ratzinger ha già risposto nell'intervista a Messori del 1984, affermando che il simbolismo del divino paterno usato da Gesú «è irreversibile». Davanti a questa lapidarietà serve l'ironia di Jessica Rabbit per ricordarci che il destino di tutte le immagini, comprese quelle di Dio, è di finire distorte. L'irreversibile ratzingeriano sembrerà tale solo finché continueranno a disegnarlo cosí.

VI.
Finché morte non vi separi

Non mi stanco ancora
a stare sotto il sole
a prenderti la mano
a dirti che ti amo
passeranno gli anni
cambierò colore
ma io son sicuro che
saremo ancora noi due
come l'asino ed il bue

Ti sposerò, Jovanotti.

Memorie cattoliche.

Io e mio marito abbiamo attraversato diverse tappe rituali prima di arrivare a sposarci con rito religioso. Prima abbiamo convissuto per un anno, poi abbiamo scelto di sposarci civilmente rimandando ancora l'altare con grande scorno delle parentele. «Sposarsi civilmente» nel mondo in cui sono cresciuta è una frase che non significa niente. Mia zia, assai delusa, si rifiutò di darmi il prezioso corredo che aveva accumulato come una formichina in anni di speranze nuziali, tenendolo come ostaggio in attesa del «vero matrimonio». Mia madre minimizzò le nozze sentenziando che non poteva essere un legame stabile quello benedetto da un maestro elementare (il sindaco che mi sposò insegnava ai bambini). Un giorno, mentre ero in fila alle poste per pagare un bollettino, incocciai la mia catechista di cresima che mi ammonì severamente in merito alla voce scandalosa che correva in paese sul mio conto: «Non è questo che ti ho insegnato». Mi informarono che qualcuno stava addirittura raccogliendo delle firme perché mi fosse sospesa la rubrica editoriale sul settimanale diocesano, almeno fintanto che non fossi uscita dalla mia situazione spiritualmente irregolare.

Chi voleva mostrarsi indulgente con me dava la colpa a mio marito, immaginando che quel miscredente continentale ostruisse con il suo corpo la santa via per giungere all'altare. Per quanto il panico perbenista fosse divertente, non fu per questo che rimandammo le nozze religiose per cosí tanto tempo. I motivi dell'attesa erano di natura teologica e non derivavano da una sottovalutazione del sacramento. Era piuttosto vero il contrario: io e mio marito abbiamo sempre preso talmente sul serio il potenziale creativo del rito religioso che non eravamo affatto sicuri di voler correre il rischio di vederlo realizzato nella nostra vita per quel che davvero sembrava significare. Il matrimonio è infatti all'origine di molte situazioni nelle quali non è bene infilarsi prima di averci riflettuto molto, molto tempo.

Parli ora o taccia per sempre.

Gianni e Francesca sono fidanzati e covano da tempo l'idea di sposarsi. È probabile che, come tutti, abbiano visto molti film americani con trame nuziali o scene di matrimonio prima di assistere a delle nozze in chiesa. Da *Quattro matrimoni e un funerale* a *Il matrimonio del mio migliore amico*, da *Il padre della sposa* a *Se scappi ti sposo*, il genere «wedding story» sforna evergreen a cui neanche il piú accorto riesce mai del tutto a sfuggire. Con questo consistente immaginario alle spalle, partecipare a una vera cerimonia cattolica potrebbe rivelarsi una colossale delusione. La prima cosa che scopriranno è che nessuno dei due deve dire: «Finché morte non ci separi», e questo già toglie molto pathos alla promessa. La seconda è che nessuno pronuncerà discorsi commoventi; ma il colpo peggiore arriverà loro dall'attesa vana che il prete pronunci la fatale frase: «Se qualcuno ha qualcosa in contrario a che quest'uomo e questa donna siano uniti in matrimonio, parli ora o taccia per sempre». Non accadrà, perché i matrimoni cattolici, quelli veri, non offrono la possibilità di svicolare in extremis per interposta persona. Suppliscono le molto meno scenografiche pubblicazioni che hanno preceduto di almeno quindici giorni la data delle nozze proprio per evitare che dai convenuti alla cerimonia arrivino sorprese spiacevoli sull'altare. Non è escluso però che le brutte sorprese a Gianni, e soprattutto a Francesca, arrivino dall'altare stesso.

Vissero felici e concupiscenti.

Dal momento che Gianni e Francesca sono credenti, si sono presentati all'altare con la convinzione che sia stato Gesú Cristo in persona a istituire il sacramento che sta per unirli come marito e moglie. Si sbagliano. Il loro è un pregiudizio senza fondamento: il matrimonio è l'ultimo dei sette sacramenti a essere stato codificato come tale nella dottrina e nella liturgia. I sacramenti come oggi li conosciamo sono il frutto di una lunga elaborazione nella storia della Chiesa e anche se per semplicità e necessità di legittimazione si insegna ai bambini che sono stati istituiti tutti da Gesú, non è vero per tutti i sacramenti allo stesso modo. Per il matrimonio non è vero per niente.

Il matrimonio non è nato con Cristo e ha faticato non poco a essere ricompreso nella spiritualità del primo cristianesimo. Come ci testimoniano le piú antiche lettere di san Paolo, nei primissimi anni il problema neanche si pose: i cristiani credevano che Gesú sarebbe tornato nell'arco della loro stessa generazione, quindi non ritennero di doversi occupare di questioni a lungo termine come il matrimonio o la compravendita di beni immobili. Quando, con il passare degli anni, il ritorno immediato di Cristo apparve sempre meno imminente, i ritmi normali del vivere ripresero il sopravvento e il matrimonio pose subito un problema.

Inizialmente nella società romana in cui vivevano i primi cristiani le conversioni avvennero a macchia di leopardo: si convertiva una donna e non suo marito, oppure il contrario. L'intelligenza pastorale suggerí quindi di riconoscere validità alle unioni contratte secondo il diritto latino, in modo da consentire al coniuge credente di restare nella sua condizione sponsale (e magari convertire il partner non ancora credente). Il che non voleva dire rinunciare alla visione cristiana della vita matrimoniale, benché spiritualmente nessuno la tenesse in particolare considerazione. I primi padri della Chiesa furono infatti piuttosto concordi nell'affermare il primato del celibato e della verginità su tutti gli altri stati di vita. Questa lettura era figlia di una visione filosofica fortemente duale: da un lato erano poste le cose spirituali, l'ascesi e l'anima, dall'altro le cose materiali, la bassezza degli istinti e la viltà del corpo. Il primo ordine era direttamente apparentato alla sfera del sacro, il secondo sembrava invece quanto di piú distante da Dio fosse possibile immaginare; la Chiesa si limitò a ribadire questa distanza, stabilendo che il matrimonio era un cedimento dello spirito alla carne, la concessione a chi non sapeva vivere in castità, una sorta di male minore per dare una copertura istituzionale alla libidine. Gli scrittori cristiani, soprattutto Agostino, ispirandosi al passaggio paolino della prima lettera ai Corinzi – «Ma se non sanno vivere in continenza, si sposino: è meglio sposarsi che ardere» – continuarono per secoli

a vedere il matrimonio come *remedium concupiscentiae*.
Va detto per giustizia che Paolo di idea sul matrimonio
ne espresse poi tutt'altra nella lettera agli Efesini, dove
lo definí (forse un po' cripticamente) un «mistero grande» da comprendersi in relazione all'unione di Cristo con
la Chiesa; ma da quell'orecchio i teologi cristiani non ci
sentirono proprio.

Uno degli eccessi di zelo nel propugnare il celibato come prima scelta spirituale consistette nel denigrare il piú
possibile la fonte della tentazione al matrimonio, cioè il
corpo della donna, le cui armi di seduzione nella mente dei
vigilanti oratori medievali si concretizzavano soprattutto
attraverso le attrattive fisiche. Ancora intorno all'anno
mille il santo abate Odon de Cluny ritenne di dover illu-
strare agli uomini l'orrore nascosto nel corpo in apparenza
mirabile delle donne:

> La bellezza del corpo si limita alla pelle. Se gli uomini vedes-
> sero quel che è sotto la pelle, cosí come si dice che possa vedere
> la lince di Beozia, rabbrividirebbero alla vista delle donne. Tutta
> quella grazia consiste di mucosità e di sangue, di umori e di bile.
> Se si pensa a ciò che si nasconde nelle narici, nella gola e nel ven-
> tre, non si troverà che lordume.
>
> E se ci ripugna di toccare il muco o lo sterco con la punta del
> dito, come potremmo desiderare di abbracciare il sacco stesso che
> contiene lo sterco?

Non stupisce che fosse difficile decidere di definire
sacramento l'inspiegabile inclinazione di un uomo pro-
bo verso un sacco di sterco, e infatti in quegli anni ci si
guardò bene dal farlo. Il fatto che non esistesse un rigido rito ecclesiale per sposarsi aveva però anche i suoi
vantaggi: per esempio ci si poteva adattare ai cambia-
menti culturali con notevole velocità, qualora si fosse
reso necessario.

La Chiesa subisce l'ingiusta fama di essere un corpo inamovibile e rigido, ma basterebbe studiarne la storia con occhio darwiniano per scoprire con quanta intelligenza quel corpo abbia attraversato i secoli conformandosi con sbalorditiva agilità alle situazioni che di volta in volta lo richiedevano. Mentre il grande Impero romano veniva giú pezzo a pezzo, il cristianesimo varcava la soglia del Medioevo facendo il salto della quaglia, almeno in materia matrimoniale, dal diritto latino al diritto germanico benché quest'ultimo contenesse norme che contraddicevano quelle precedenti; per esempio l'assenso libero degli sposi smise di essere indispensabile e si riconobbero come valide anche le unioni contrattate dalle famiglie. Non si rinunciò però a cercare di imporre un'etica cristiana, scoraggiando per quanto possibile i divorzi e il concubinato, che invece il nuovo diritto considerava legittimi. Fu solo nel 1215 che il Concilio lateranense IV strutturò un minimo di rituale ecclesiale che prevedeva sí il consenso, ma non ancora la presenza del sacerdote. Perché il matrimonio divenisse quel che è oggi bisognò attendere fino al 1563, allorché il Concilio di Trento trasformò in sacramento quella che fino a quel momento era stata solo la presa d'atto di una consuetudine umana. Lungi dall'essere uscito tal quale dalle mani di Gesú Cristo, il matrimonio come lo conosciamo esiste quindi da meno di cinquecento anni, neanche un quarto della lunga storia della cristianità.

Ma che ratio teologica si è seguita per passare dallo stadio concettuale di *remedium concupiscentiae* alla consapevolezza che il matrimonio cristiano è quel «grande mistero» annunciato da san Paolo? La risposta contiene la prima brutta sorpresa per la sposina trepidante sull'altare.

Intermezzo: an Italian Christmas Carol.

Nel mese di dicembre del 2009 alcuni militanti leghisti della provincia di Trento si inventarono un'iniziativa chiamata «Un asilo, un presepe» che consisteva nel girare gli asili del comune di Rovereto offrendo in dono una natività con personaggi in cera d'api installati dentro il guscio di una zucca. Nel 2010 i leghisti della provincia di Lecco mutuarono l'iniziativa intitolandola «Un presepe in ogni scuola». A Genova nello stesso anno la Lega distribuí nelle piazze, insieme alle fette di pandolce, anche trecento piccoli presepi.

Il Natale è uno dei campi di battaglia piú calpestati dalla propaganda ideologica leghista che non ha mai disdegnato di adoperare i simboli religiosi come marcatori identitari utili a spacciare per inconciliabili le differenze culturali tra gli italiani e gli immigrati, con particolare riferimento a quelli provenienti dai Paesi islamici. Il presepe deve essere sembrato ai leghisti l'oggetto perfetto in cui impiantare le presunte radici italiane, non solo perché è legato alla tradizione cattolica, ma soprattutto perché è celebrativo di quei presunti valori della famiglia «naturale» di cui si pretenderebbe fosse il simbolo. Sarebbe però ingiusto imputare solo alla Lega il tentativo di appropriazione indebita dell'immaginario religioso. In tutta Italia infatti non si contano piú le iniziative tese a diffondere/difendere l'uso del presepe non come raffigurazione di un evento religioso, ma come veicolo di valori considerati tradizionali. Nel 2008 quaranta scuole materne di Roma aderirono al concorso indetto dal comune «Il presepe nella mia scuola». L'assessore alla cultura della giunta di centrodestra Laura Marsilio motivò l'iniziativa cosí:

Mettere il presepe al centro di un progetto per le scuole significa non solo avvicinare i bambini e i giovani a un simbolo di pace e di fratellanza, ma vuole essere un momento educativo e culturale che rimanda a significati piú profondi, anche se meno immediati rispetto a quelli di altri simboli del Natale. E proprio cimentandosi nella realizzazione di piccoli presepi ci si potrà rendere conto di trovarsi dinnanzi alla rappresentazione di quella che è la famiglia per tradizione. Giuseppe, Maria e il Bambin Gesú, che oltre al significato religioso diventano la massima espressione dei valori legati alla tradizione, della famiglia e della condivisione. Il presepe diventa anche per i piú giovani un importante esempio di famiglia e dei veri valori.

Lasciando da parte le strumentalizzazioni, davvero si può affermare che Maria, Giuseppe e il bambin Gesú siano il modello della famiglia cattolica tradizionale? È intorno alla mangiatoia di Betlemme che la Chiesa invita le famiglie credenti a costruire il proprio vissuto? Per trovare la risposta è sufficiente aver visto un matrimonio in chiesa. Osservando come si svolge il rito la prima evidenza è un'assenza: la liturgia nuziale non fa mai riferimento alla famigliola di Nazareth perché il modello della cosiddetta famiglia tradizionale in realtà è tutt'altro.

Vi dichiaro proiezioni di qualcos'altro.

Il primo riferimento utile per capire di cosa parliamo quando parliamo di matrimonio cristiano si trova all'inizio del rito, quando il sacerdote si rivolge direttamente al cielo:

O Dio, che in questo grande sacramento
hai consacrato il patto coniugale,
per rivelare nell'unione degli sposi
il mistero di Cristo e della Chiesa.

Sebbene il concetto sia centrale – e infatti verrà ribadito piú volte durante tutta la funzione liturgica – pochi si chiederanno cosa significhi l'espressione «mistero di Cristo e della Chiesa». Eppure in quella breve frase c'è la sintesi teologica di una elaborazione durata molti secoli, che solo alla fine rese possibile il superamento delle ragioni che impedivano al matrimonio di diventare un sacramento. Come è stato possibile risolvere il rovello dell'impossibilità della coesistenza tra rapporti sessuali e grazia di Dio? La risposta della teologia è di fatto una dichiarazione di resa, perché afferma che non è stato possibile affatto. Con buona pace della Genesi, per coloro che hanno elaborato la teologia fondante del matrimonio, l'unione dell'uomo e della donna non possiede da sola la dignità di una cosa santa.

Amarsi spiritualmente e carnalmente tra cristiani non basta per potersi dire benedetti nel piano di Dio: occorre che la pulsione congiunta di corpo e anima sia nobilitata dal riferimento a qualcosa di piú teologicamente accettabile. Perché quella realtà umana cosí compromettente possa essere «ricapitolata in Cristo» è necessario rileggerla in chiave simbolica. I teologi hanno selezionato un'analogia sponsale precisa, quella fortemente astratta dell'unione mistica tra Cristo e la Chiesa. Si tratta di una forzatura notevole, considerato che di coppie simboliche nella Scrittura ce n'erano di ben piú concrete e comprensibili. Perché sono state scartate?

Adamo ed Eva devono essere sembrati un archetipo debole. Sono pre-evangelici, e quindi era difficile proporli agli sposi come modelli di amore cristiano, ma rappresentavano anche un esempio poco edificante, perché peccatori per antonomasia. Difficile contrabbandare come coppia ideale due figure che si erano ribellate a Dio. Restavano Maria e Giuseppe che però ponevano tutta un'altra serie di problemi poiché come sposi ideali erano piuttosto eterodossi. Non avendo avuto rapporti sessuali, il loro matrimonio non è mai apparso alla gente semplice un patto autentico, ma piuttosto un atto di copertura necessario alla protezione della gravidanza divina di Maria. Questa lettura era stata peraltro sempre incentivata dai predicatori, la cui prima preoccupazione era affermare la verginità di Maria, anche a costo di spacciare il suo matrimonio con Giuseppe come un'unione pro forma, negando cosí al falegname di Nazareth la possibilità di rappresentare un archetipo per i mariti: li avrebbe ridotti a figure di sfondo, custodi miti e strumentali del ruolo centrale delle mogli e delle madri. Anche la tanto enfatizzata scelta di verginità di Maria, però, rappresentava un modello inutile per la sposa, perché non risolveva il primo dei problemi teologici del matrimonio: spiegare cristologicamente la realtà dei rapporti sessuali. Per offrire una strada sensata agli sposi cristiani si doveva guardare altrove.

La Bibbia apriva una strada interessante, sebbene non immediatamente comprensibile e fu lí che i teologi del matrimonio scelsero di andare a pescare l'archetipo fondante. Nell'insegnamento dei profeti ebraici esisteva un filone allegorico che tendeva a leggere il rapporto tra Dio e Israele come un matrimonio tra uomo e donna. Il profeta Osea è il piú esplicito, e il libro che nella Bibbia porta il suo nome è tutto giocato su questa allegoria. Dio è rappresentato come marito paziente, appassionato, geloso e premuroso, mentre il popolo ebraico è la fanciulla prescelta, talvolta fedele ma assai piú spesso pronta a volgersi ad altri dèi in cambio di favori e doni apparentemente piú immediati di quelli offerti dal legittimo marito. Per rendere visibile agli israeliti il loro tradimento verso il Signore Iddio, il profeta Osea arrivò a sposarsi con una prostituta e ad avere da lei «figli di prostituzione» per porre pedagogicamente in pubblico un segno dell'amore divino capace di restare fedele a dispetto di ogni infedeltà.

L'irruzione di Cristo nella storia non interruppe questa alleanza sponsale – perché la Parola di Dio non torna indietro, è sempre valida – però la rinnovò nella propria persona. Per i teologi cattolici si aprí dunque la possibilità di affermare che l'antico rapporto matrimoniale tra Dio e Israele si era compiuto pienamente nel rapporto matrimoniale tra Cristo e la Chiesa, cioè tra il figlio del Dio d'Israele e la versione 2.0 del popolo eletto. Il sottinteso era che stavolta la Chiesa, in forza della guida mistica dello Spirito Santo, non solo non sarebbe stata infedele e impreparata come Israele, ma anzi avrebbe rappresentato la sposa perfetta, attendendo il ritorno del suo Signore con la lampada accesa e la veste candida.

Questa interpretazione è frutto di una distorsione strumentale: i profeti ebraici non cercarono mai di giustificare l'amore umano con l'amore mistico, casomai ricorsero a esempi pratici per far comprendere l'amore di Dio verso il popolo anche a chi di amore conosceva solo quello sponsale. Lo dimostra il fatto che il matrimonio non fu l'unico paragone usato dai profeti per rendere comprensibile alla gente il rapporto elettivo con il divino. Da Dio orsa madre che protegge i piccoli a Dio aquila che li solleva sulle ali, gli esempi concreti dell'alleanza con Israele davvero non si contano. I teologi cristiani scelsero invece di fare l'operazione opposta: le nozze umane non solo non spiegavano il rapporto tra Dio e il popolo, ma finivano per essere esse stesse spiegate e giustificate alla luce delle nozze mistiche tra Cristo e la Chiesa, invertendo di fatto l'archetipo e – cosa peggiore – rendendolo esclusivo, con il risultato di rimuovere tutte le altre narrazioni simboliche.

La teoria del matrimonio sacramentale come proiezione olografica dell'unione tra Cristo e la Chiesa divenne quindi dottrina e rito liturgico, imponendo a chi dentro quel modello doveva davvero viverci di leggere il proprio amore esclusivamente nei termini stabiliti dall'analogia.

Il difetto di fabbrica.

Il rapporto modellato sull'archetipo Cristo/Chiesa ha come primo effetto quello di forzare ognuno degli sposi a riconoscersi in uno solo dei termini: l'uomo sta a Gesú come la donna sta alla Chiesa. È una forzatura che introduce nella coppia un primo dato di diseguaglianza, perché Gesú Cristo e la Chiesa non sono soggetti alla pari. Gesú è una persona fisica, ha natura umana, ma contemporaneamente è anche Dio; la Chiesa invece è una realtà collettiva e invisibile composta da milioni di persone umane; un soggetto astratto, non un individuo in cui ci si possa identificare. La donna cristiana non ha davanti altra spinta aspirazionale che quella di servire lo sposo come la Chiesa serve Gesú.

Tra i soggetti della coppia proposta come archetipo esiste anche una gerarchia precisa: Cristo è il capo, letteralmente la testa, la Chiesa è il suo corpo mistico, in un rapporto di dipendenza univoca. L'uno è la guida e il pastore, l'altra il discepolo e il gregge. Che cosa possa significare per la donna stare dentro una relazione che deve rispettare questi termini non è difficile da intuire. Nell'economia della salvezza Gesú Cristo preesiste alla Chiesa e sussiste anche senza di essa, mentre la Chiesa senza Cristo non ha ragione di essere: la sua esistenza è del tutto funzionale alla missione salvifica di Gesú, lo sposo mistico. Il ruolo strumentale della donna e quello dominante dell'uomo all'interno della coppia sono sanciti e fondati sul modello.

In ogni corso di preparazione al matrimonio si fa di tutto per evidenziare alle coppiette di fidanzati il senso profondo dell'analogia; tuttavia neanche la migliore buona volontà può cambiare il fatto che quel modello imporrà agli sposi gerarchia e diseguaglianza, a meno che il marito non sia come Gesú Cristo. Ma nella realtà umana un modello divino non può che funzionare per approssimazione. C'è tutta la storia delle donne a dimostrare quanto i mariti – in rapporto all'idea di una sposa Chiesa, discepola e gregge – si siano sentiti autorizzati a pensarsi come Cristo anche senza avvertire l'obbligo di alcuna croce, Maestri senza nulla da insegnare e Pastori tutt'altro che teneri. Il modello Cristo/Chiesa costringe entrambi gli sposi ad agire per difetto dentro uno schema che ha in sé il germe della propria (e spesso della loro) autodistruzione.

Quando ai coniugi cristiani viene chiesto di attenersi e riprodurre il modello Cristo/Chiesa nella loro vita comune, si offende il sacramento del loro battesimo che ha posto Cristo come riferimento di santità per entrambi, l'esempio a cui devono tendere tutte le persone di fede, non solo i maschi e i mariti. Invece nel rito matrimoniale cattolico Gesú viene escluso dall'orizzonte di prospettiva della moglie a cui resta solo l'astrazione mistica della Chiesa, madre e sposa indefessa e fedele, incantevole e misterioso oggetto spirituale, ma comunque strumento all'interno di una funzione di cui la chiave di senso resta Cristo. Affinché la donna comprenda bene quali sono i suoi modelli nella missione matrimoniale, il rito liturgico non le lesina suggerimenti:

> In questa tua figlia
> dimori il dono dell'amore e della pace

e sappia imitare le donne sante
lodate dalla Scrittura.

Ben diverso lo spunto imitativo offerto al marito:

Il suo sposo,
[...] la onori come uguale nella dignità,
la ami sempre con quell'amore
con il quale Cristo ha amato la sua Chiesa.

Il rito è chiarissimo: l'uomo imiti Cristo nell'amore, la donna imiti piuttosto le donne sante lodate dalla Scrittura, in obbedienza all'inaccettabile principio di una santità divisa per generi, gentlemen and ladies, alla maniera delle toilette.

La rigidità del modello Cristo/Chiesa ha nella vita di una normale coppia di cristiani altre controindicazioni derivanti dal fatto che il rapporto tra archetipo e stereotipo funziona per analogia: se la relazione Cristo/Chiesa ha certe caratteristiche, il matrimonio tra credenti è costretto a replicarle. I parametri sono tre, e molto chiari: la *fedeltà*, perché Cristo non tradisce la sua sposa ed essa – nata dal suo costato come Eva da Adamo – nemmeno lo desidera; l'*indissolubilità*, perché interrompere l'alleanza non è contemplabile in un'unione mistica dove gli sposi si sono vicendevolmente compenetrati; la *fecondità*, giacché la Chiesa genera continuamente nuovi figli di Dio mediante il battesimo amministrato in nome di Cristo. Davanti ai tre capisaldi, l'unione tra gli sposi non potrà permettersi di essere niente di meno: dovrà essere a sua volta fedele, indissolubile e inesorabilmente feconda.

La questione della fedeltà tocca un punto fondamentale, perché chiama in causa la materia stessa del patto – la propria carne – che non può essere congiunta con altri che il coniuge. Non vuol dire che se dovesse succedere un tradimento fisico il matrimonio non sarebbe piú valido, ma che il proposito iniziale delle nozze deve tendere alla fedeltà assoluta almeno nella sua variante fisica, che resta categorica anche nel caso in cui i due si separino civilmente. Per la Chiesa la separazione non comporta di per sé l'esclusione dalla comunione ecclesiale, se i coniugi non iniziano una relazione sessuale con terze persone.

Il categorico divieto ecclesiale di ammettere il divorzio è fondato sul pilastro dell'indissolubilità. Oggi in Italia tre matrimoni su dieci vanno in crisi prima dei quindici anni, ponendo serissimi problemi di gestione pastorale, dato che la maggior parte di essi viene ancora celebrata in chiesa. Nonostante l'aggiunta dell'emarginazione ecclesiale alle già incalcolabili sofferenze derivanti dalle separazioni, sul fronte del divorzio il magistero non pare intenzionato ad annunciare aperture. Una ragione è che la rigidità del divieto è indispensabile per confermare la validità dell'archetipo matrimoniale Cristo/Chiesa: ammettere che il patto sponsale possa essere sciolto implica contraddire il modello a cui si pretenderebbe che gli sposi si conformassero. Sarebbe complicato perché comporterebbe discutere e rifondare alla radice le ragioni dell'esistenza del matrimonio come sacramento. È molto piú semplice lasciare il divieto dov'è, anche se la sofferenza spirituale di migliaia di separati preme alle porte dell'altare con sempre maggior clamore, elemosinando l'accesso all'eucarestia.

Sul parametro della fecondità, infine, si sono giocate le partite sociali e spirituali piú dure, sia della Chiesa come istituzione nel mondo sia degli sposi cristiani tra di loro. Per secoli, pur di non riconoscere all'unione sessuale una ragione propria nel piano divino, il fine procreativo nel matrimonio è stato considerato predominante, quando non esclusivo, perché era l'unico utile a giustificare l'atto fisico accessorio.

Per questo motivo qualunque metodo artificiale che mirasse a separare l'unione fisica dalla possibilità di generare è stato indicato come moralmente illecito sempre. Il fine unitivo del rapporto sessuale, cioè il rafforzamento del patto d'amore tra i coniugi, è un'apertura molto recente nella teologia matrimoniale, e anche se oggi è considerato di pari dignità morale rispetto all'altro, resta sancito che quel fine non potrà mai essere raggiunto elidendo totalmente quello procreativo, complicando molto la vita sessuale dei coniugi ed esponendoli alle conseguenze di gravidanze non desiderate.

Questi dunque sono i termini delle nozze cristiane e questi resteranno fino a che non cambierà l'impianto teologico del matrimonio sacramentale. Non sono ammesse eccezioni, pena la delegittimazione del modello fondante. Considerando che solo il 30 per cento degli italiani si dichiara cristiano praticante, ma ben l'80 per cento dei matrimoni si celebra ancora con rito religioso, è il caso di riflettere se l'impianto simbolico delle nozze cristiane sia un affare che davvero riguarda solo i credenti.

La sposa cadavere.

> Fa' sentire che è poco importante,
> dosa bene amore e crudeltà.
> Cerca di essere un tenero amante
> ma fuori del letto nessuna pietà.
>
> *Teorema*, Marco Ferradini.

Nel 2007 è stato pubblicato il primo studio italiano sulla violenza alle donne. Lo ha realizzato l'Istat su un campione di venticinquemila donne tra i sedici e i settant'anni in tutto il territorio, e i risultati impressionano anche i piú ottimisti: in Italia sono 6,7 milioni le donne che subiscono ogni anno violenza fisica o sessuale (quasi quattro donne su dieci nel campione considerato), nel 69,7 per cento dei casi commessa dal partner, attuale o ex. Ma il dato piú significativo è che solo il 18 per cento delle vittime ritiene che le violenze tra le mura domestiche siano reato: infatti il 93 per cento delle volte non le denuncia alle autorità. Quarantacinque donne su cento non ne parlano neanche con le amiche o con altri familiari, come se in fondo considerassero quelle violenze il rischio implicito e calcolato della vita con un uomo. Sono dati che turbano, ma non sorprendono. Personalmente posso dire che si avvicinano per difetto a quella che è la statistica delle condizioni di convivenza – matrimoniale o no – tra le donne che conosco.

A lungo mi sono chiesta come fosse possibile che persone intelligenti, il piú delle volte colte, spesso autonome economicamente, accettassero di essere oggetto di violenza all'interno della propria relazione. Adesso so che contano l'educazione femminile, frutto di secoli di addestramento alla subordinazione, e anche la parallela formazione maschile, imbevuta di proiezioni dominanti e possessive. Contano i modelli sociali patriarcali, e conta moltissimo la sensibilità popolare educata all'idea che uno schiaffo sia solo una carezza veloce, nella convinzione diffusa che l'amore sia tale anche quando procura occhi pesti, zigomi lividi e sospette cadute dalle scale. Conta persino che ogni titolo di quotidiano insista nel definire «delitto passionale» l'omicidio di una donna per mano del suo uomo, come se la morte fosse amore portato alle sue estreme conseguenze. Conta che il diritto italiano abbia considerato la violenza sessuale come reato contro la morale (e non contro la persona) fino al 1996, data fino a cui non era affatto scontato che potesse trattarsi di

reato se la vittima di un pestaggio era la moglie dell'ag-
gressore. Dentro queste dinamiche, però, è impossibile
che non abbia avuto alcun peso l'idea di coppia trasmes-
sa dall'insegnamento religioso tradizionale.

La domanda è doverosa e la risposta è di grandissi-
ma importanza per la condizione delle donne, di tutte le
donne, non solo di quelle credenti sposate: è ipotizzabi-
le che esista un legame concreto tra il quadro desolante
della prassi violenta nelle famiglie e il modello relazionale
al quale secondo la Chiesa cattolica deve conformarsi la
coppia per potersi definire cristiana?

La teologa Virginia Ramey Mollenkott, nel suo saggio
del 1991 *Dio femminile*, in riferimento alla raffigurazione di Dio come essere maschile, notava che «il tipo di relazione che viene suggerita quando solo un partner è come Dio è una relazione di dominio/sottomissione. Il tipo
di relazione dove entrambi i partner sono come Dio è la
reciprocità». È fuori di dubbio che la relazione su cui si
fonda il matrimonio cattolico appartenga al primo tipo, ed
è quindi tutt'altro che illogico supporre che le sue conseguenze siano quelle che deriverebbero da qualunque rapporto impostato su dominio e sottomissione. La narrazione
univoca della donna funzionale – sposa e madre – impone
alle donne di muoversi dentro ruoli rigidi e le condanna a
essere considerate sovversive e marginali ogni qualvolta
provino a immaginarsi in modo alternativo. Per contro,
la medesima narrazione impone ai mariti il ruolo dominante e le frustrazioni che ne derivano qualora si tenti
una relazione piú equa. Se è vero che le parole generano
realtà – e quelle liturgiche sono per antonomasia le piú
potenti – deve esserci un collegamento tra la narrazione
suggerita all'uomo e alla donna come marito e moglie e i
modi in cui quella narrazione viene tradotta.

Non è stato il cattolicesimo a inventare la prassi della subalternità della donna nel matrimonio, né la concezione di inferiorità che la fonda; è anzi evidente che quell'idea esisteva da secoli. Tuttavia i padri della Chiesa potevano scegliere di utilizzare il potenziale destabilizzante e innovativo dell'annuncio cristiano e della figura di Maria per modificare alla radice le situazioni di ingiustizia e svalutazione della persona che quel sistema imponeva e continua a imporre. In forza del sacrificio di Cristo – e san Paolo l'aveva capito tanto bene da metterlo per iscritto nella lettera ai Galati – non esisteva piú la gerarchia morale tra giudeo e greco, tra schiavo e padrone e tra uomo e donna: il cristianesimo rifondava l'ordine stesso del cosmo. Se la Chiesa non si è inventata la subordinazione tra i sessi, ha scelto di legittimarla spiritualmente. Attraverso la proposta dell'archetipo Cristo/Chiesa ha reso liturgia e dottrina le struttura patriarcale della famiglia, rallentandone di fatto anche l'evoluzione culturale. Poi la riflessione femminista e il progresso dei diritti civili hanno costretto lo Stato italiano a riformare il diritto di famiglia e i confini del matrimonio per adattarsi alle nuove sensibilità sociali, la Chiesa ha invece continuato a celebrare un modello nuziale che sancisce di fatto un rapporto disparitario, dentro al quale uno dei due coniugi è autorizzato a considerare l'altro al suo servizio.

Le ragioni dell'iniziale scelta maschilista e patriarcale, benché del tutto storicizzabili, sono nel frattempo diventate dottrina, rendendo difficoltosa la loro modifica nel magistero successivo. Che questa lettura possa venire abrogata è auspicabile, ma altamente improbabile. È purtroppo vero quello che scrive Gustavo Zagrebelsky in *Scambiarsi la veste*, il suo saggio sul rapporto tra Stato e Chiesa:

Nulla è mai abrogato nella dottrina della Chiesa; sul piano dottrinale infatti il concetto stesso di abrogazione è un non senso, poiché ogni nuova affermazione è concepita come uno sviluppo che contiene tutto ciò che precede senza contraddirlo.

Da cristiana non abbandono la speranza che la teologia faccia i conti con le conseguenze dell'attuale dottrina matrimoniale: lo deve alla fedeltà alla Parola di Dio, ma soprattutto lo deve alle donne e alla sofferenza che questa lettura ha loro imposto con la minaccia dell'esclusione dal piano della salvezza e con la legittimazione culturale di un sistema violento. Gli abusi e la sopraffazione che le donne hanno subito nei secoli in nome del vincolo sacramentale del matrimonio non sono stati ancora compresi né valutati per intero. Il passo non potrà mai essere compiuto se la riflessione sul matrimonio come sacramento resterà affidata a uomini celibi, sacerdoti e vescovi che del matrimonio conoscono solo gli aspetti deformi che arrivano loro in eco dal confessionale, un luogo dove alle donne si chiede da secoli rassegnazione e sottomissione in nome di Dio.

Ringraziamenti.

Imprescindibile il ringraziamento a Marinella Perroni, Cristina Simonelli e tutto il Coordinamento teologhe italiane per avermi dato l'idea, il coraggio e molti spunti. Lo stesso vale per Laura Fortini e Monica Farnetti, che in un caffè parigino nella primavera del 2009 hanno messo talmente in discussione le mie prime premesse che alla fine non hanno convinto piú neanche me: se *Ave Mary* è arrivato in casa editrice con un anno di ritardo è colpa merito loro. A tutta la Società italiana delle letterate, che ha educato il mio orecchio e il mio cuore al suono di nuove voci di donna. È stata fondamentale per l'ultima stesura una bottiglia di rosso delle Langhe bevuta a Cuneo con Loredana Lipperini e Lorella Zanardo. Un ringraziamento speciale va a Simona Tilocca per l'opera di indefessa sorellanza svolta prima, durante e dopo, e a Delfio Dovetta per il modo in cui incarna con grazia tutto quello che per me in un uomo fa la differenza. Questo libro ha conti da saldare anche con alcuni sapienti sacerdoti, ma non a tutti loro farà piacere saperlo, tantomeno che si sappia. L'unico a cui sono certa che questi crediti non pesino è don Antonio Pinna, e anche di questa libertà lo ringrazio. In coda c'è la preziosa competenza di Giacomo Papi: è solo la sua smaccata indole di maschio alpha che alla fine ha impedito che dessi questo libro alle stampe dimenticandomi dell'onestà intellettuale.

Bibliografia

Questo libro è debitore nel bene e nel male agli autori e le autrici dei seguenti testi:

ANONIMO, *Contro Ratzinger*, Isbn, Milano 2006.

BALTHASAR, H. U. VON, *Il complesso antiromano. Come integrare il papato nella Chiesa universale*, Queriniana, Brescia 1974.

BAUMAN, Z., *Capitalismo parassitario*, Laterza, Roma-Bari 2009.

BROSIO, P., *A un passo dal baratro. Perché Medjugorje ha cambiato la mia vita*, Piemme, Milano 2009.

CAPUTO, I., *Le donne non invecchiano mai*, Feltrinelli, Milano 2009.

CHIAVACCI, E., *Teologia morale fondamentale*, Cittadella, Assisi 2007.

COMUNITÀ DI BOSE (a cura di), *Maria. Testi teologici e spirituali dal I al XX secolo*, Mondadori, Milano 2000.

GHARIB, G., *Le icone mariane. Storia e culto*, Città Nuova, Roma 1993.

HAUKE, M., *Maria «mediatrice di tutte le grazie». La mediazione universale di Maria nell'opera teologica e pastorale del cardinal Mercier*, Eupress edizioni, Lugano 2005.

LIPPERINI, L., *Non è un paese per vecchie*, Feltrinelli, Milano 2010.

LUZZATTO, S., *Il Crocifisso di Stato*, Einaudi, Torino 2011.

MADRE TERESA DI CALCUTTA, *Vivi davvero!*, Paoline, Roma 2003.

MARZANO, M., *Sii bella e stai zitta. Perché l'Italia di oggi offende le donne*, Mondadori, Milano 2010.

MURARO, L., *La non ordinazione delle donne e la politica del potere*, in «Concilium», Queriniana, Brescia, a. XXXV, 1999, n. 3.

PERRONI, M., *Esiste un «Dio delle donne»? Riflessioni a margine di un dibattito televisivo*, in «Teologi@Internet», Queriniana, Brescia 2003, n. 25.

PERRONI, M., *Principio mariano – principio petrino: quaestio disputanda?*, in «Marianum», Roma 2010, n. 72.

RAMEY MOLLENKOTT, V., *Dio femminile. L'immaginario biblico di Dio come donna*, Emp, Padova 1993.

SCARAFFIA, L. e ZARRI, G. (a cura di), *Donne e fede. Santità e vita religiosa in Italia*, Laterza, Roma-Bari 1994.

SCHÜSSLER, E. F., *In memoria di lei. Una ricostruzione femminista delle origini cristiane*, Claudiana, Torino 1990.

VASSALLO, N. (a cura di), *Donna m'apparve*, Codice, Torino 2009.

Indice

Einaudi usa carta certificata PEFC
che garantisce la gestione sostenibile delle risorse forestali

PEFC/18-32-03

Stampato per conto della Casa editrice Einaudi
presso ELCOGRAF S.p.A. - Stabilimento di Cles (Tn)

C.L. 23889

Edizione

8   9   10   11   12   13

Anno

2023   2024   2025   2026